u

uso
de la gramática española
intermedio

Francisca Castro

Primera edición: 2020

Equipo editorial
Coordinación: Mila Bodas
Edición: Pilar Justo
Diseño interiores y diseño de cubierta: Carolina García
Maquetación: Estudio Grafimarque
Ilustraciones: Grafitti

ISBN: 978-84-9081-626-4
Depósito legal: M-13134-2020
Impreso en España.

Francisca Castro

La organización general de *Uso de la gramática española* es la del *syllabus* gramatical con el que los manuales de ELE suelen articular la progresión del aprendizaje en sus diferentes niveles. Su objetivo es dar a la gramática la importancia que tiene como medio para obtener competencia lingüística y, al tiempo, mayor confianza a la hora de comunicar.

Los 31 temas de *Uso de la gramática española* -nivel intermedio- presentan toda la gramática necesaria para un segundo año de español y la trabajan en una serie de ejercicios sistemáticos y graduados.

Cada tema tiene las siguientes partes:
Presentación de los puntos gramaticales con ilustraciones y cuadros de los modelos. De este modo, fundamentalmente visual, se recibe una información global, clara y esquemática que servirá como elemento de consulta rápida en cualquier momento del aprendizaje.

Uso, que explica las reglas esenciales de funcionamiento de los puntos gramaticales en situación de comunicación cotidiana, con el apoyo de numerosos ejemplos.
Se ha procurado que el lenguaje esté al alcance de todos los posibles usuarios. Por tanto, se ha utilizado solo la terminología lingüística imprescindible y las explicaciones son muy sencillas en el léxico y en la estructura.

Ejercicios, que reúnen las siguientes características:
- diseño que permite trabajar primero la forma y a continuación su uso en el contexto de la frase,
- gradación que va desde las actividades controladas hasta las de producción libre y semilibre en el interior de los temas,
- selección de vocabulario en función de la rentabilidad, la adecuación al nivel y el incremento gradual para su asimilación fácil y completa.

Uso de la gramática española se concibe como un material de trabajo activo, en el aula o en autoaprendizaje.
Como elementos que posibilitan la autonomía del aprendizaje, las páginas de ejercicios tienen espacios asignados para la autoevaluación: al final de cada ejercicio y al final de cada tema para el balance de aciertos. Las claves de estos ejercicios están disponibles de forma gratuita en *www.edelsa.es*.

También hay ejercicios de práctica libre y semilibre respectivamente. Estos ejercicios no se incluyen en el número de aciertos porque no tienen una solución fija.

La autora

U

ÍNDICE

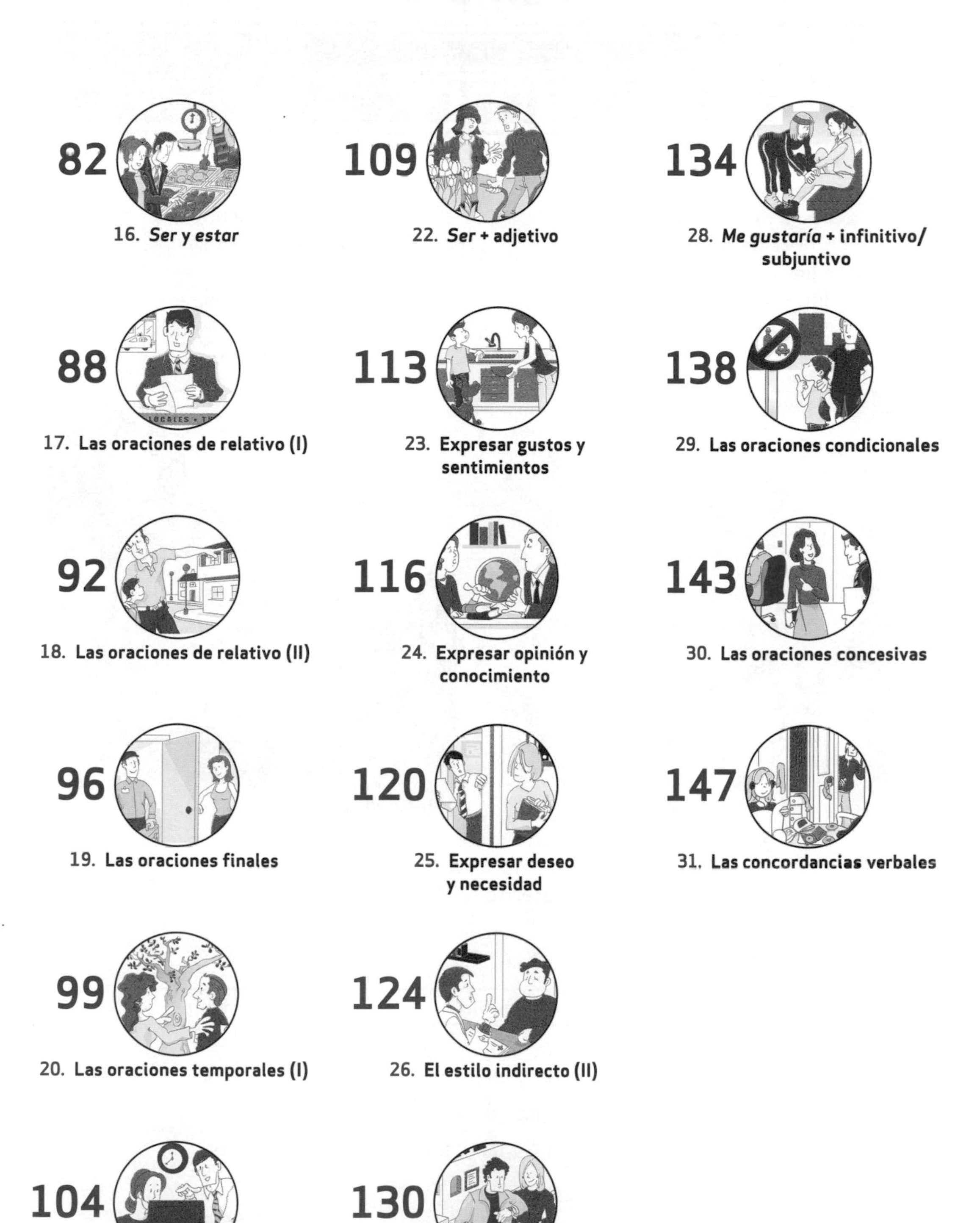

Tema 1

EL PERFECTO SIMPLE

El pretérito perfecto simple

- Verbos regulares

	hablar	*comer*	*vivir*
(yo)	habl**é**	com**í**	viv**í**
(tú)	habl**aste**	com**iste**	viv**iste**
(él, ella, usted)	habl**ó**	com**ió**	viv**ió**
(nosotros/-as)	habl**amos**	com**imos**	viv**imos**
(vosotros/-as)	habl**asteis**	com**isteis**	viv**isteis**
(ellos/-as, ustedes)	habl**aron**	com**ieron**	viv**ieron**

- **Verbos irregulares**

Los pretéritos perfectos simples de los verbos irregulares más frecuentes son:

	Singular			Plural		
	1.ª	2.ª	3.ª	1.ª	2.ª	3.ª
andar	anduve	anduviste	anduvo	anduvimos	anduvisteis	anduvieron
conducir	conduje	condujiste	condujo	condujimos	condujisteis	condujeron
dar	di	diste	dio	dimos	disteis	dieron
decir	dije	dijiste	dijo	dijimos	dijisteis	dijeron
dormir	dormí	dormiste	durmió	dormimos	dormisteis	durmieron
estar	estuve	estuviste	estuvo	estuvimos	estuvisteis	estuvieron
hacer	hice	hiciste	hizo	hicimos	hicisteis	hicieron
ir	fui	fuiste	fue	fuimos	fuisteis	fueron
leer	leí	leíste	leyó	leímos	leísteis	leyeron
pedir	pedí	pediste	pidió	pedimos	pedisteis	pidieron
poder	pude	pudiste	pudo	pudimos	pudisteis	pudieron
querer	quise	quisiste	quiso	quisimos	quisisteis	quisieron
saber	supe	supiste	supo	supimos	supisteis	supieron
ser	fui	fuiste	fue	fuimos	fuisteis	fueron
tener	tuve	tuviste	tuvo	tuvimos	tuvisteis	tuvieron
traer	traje	trajiste	trajo	trajimos	trajisteis	trajeron
venir	vine	viniste	vino	vinimos	vinisteis	vinieron

Igual que *conducir* ⟶ *producir, traducir*
Igual que *dormir* ⟶ *morir*
Igual que *leer* ⟶ *caer(se), construir, destruir, huir, oír*
Igual que *pedir* ⟶ *despedir, divertirse, vestir(se), sentir, repetir*
Igual que *poner* ⟶ *componer, disponer, proponer*
Igual que *tener* ⟶ *detener(se), obtener*

- **Verbos con modificación ortográfica** en la primera persona del singular para conservar la pronunciación:

buscar	**busqué**	buscaste	buscó	buscamos	buscasteis	buscaron
llegar	**llegué**	llegaste	llegó	llegamos	llegasteis	llegaron
cruzar	**crucé**	cruzaste	cruzó	cruzamos	cruzasteis	cruzaron

Igual que *buscar* ⟶ *acercar, equivocarse, embarcar*
Igual que *llegar* ⟶ *jugar, pegar*
Igual que *cruzar* ⟶ *cazar, comenzar, empezar*

Uso

Pretérito perfecto simple

1 Se usa para hablar de acciones pasadas y acabadas, sin relación con el presente:

- *El lunes pasado **vi** a Jaime en el dentista.*

2 Normalmente va con marcadores temporales que sitúan la acción. Por eso, se utiliza en las biografías:

- ***Recibí** tu carta **en abril**.*
- *Miguel de Cervantes **murió en 1616**.*

3 Otras veces va con marcadores que delimitan la acción:

- *Mi tío **vivió** en Chile **muchos años / hasta 1969 / bastante tiempo**.*

4 Puede usarse para acciones que se repiten:

- *Después de la muerte de Ernesto, **fui** a visitar a su madre **varias veces**.*

Ejercicios

1. Escriba la forma correspondiente del pretérito perfecto simple.

1. *Detenerse, él* — *Él se detuvo.*
2. Volver, tú ....
3. Despedirse, ellos ....
4. Traer, él ....
5. Construir, ella ....
6. Empezar, nosotros ....
7. Descubrir, yo ....
8. Componer, él ....
9. Sentir, yo ....
10. Obtener, yo ....
11. Oír, ellos ....
12. Vestir, ella ....
13. Morir, ella ....
14. Hacer, vosotros ....
15. Tener, yo ....
16. Estar, usted ....

Aciertos: .... de 15

2. Complete las frases con los verbos en pretérito perfecto simple.

1. *En el viaje de vuelta* **condujo** *mi marido. (conducir)*
2. Esta novela la ____________ Pedro Salinas del francés. *(traducir)*
3. Después de la boda, los invitados ____________ hasta muy tarde. *(dormir)*
4. Nosotros ____________ alegría cuando ____________ visitarnos. *(sentir; decidir, ellos)*
5. El consejero de Sanidad ____________ continuar la discusión por la tarde. *(proponer)*
6. Al camarero se le ____________ los cubiertos al suelo. *(caer)*
7. El acueducto de Segovia lo ____________ los romanos. *(construir)*
8. Yo no ____________ a nadie, solo dije la verdad. *(atacar)*
9. Al final ____________ todos en el coche de Juanjo. *(llegar)*
10. Sí, creo que yo ____________ *(equivocarse)*
11. ¿Dónde estabas?, ayer te ____________ por la biblioteca y no te ____________ *(buscar, ver)*
12. Cuando ____________ al aeropuerto, ____________ para Argentina inmediatamente. *(llegar, embarcar, yo)*
13. Estamos agotados, ayer ____________ diez kilómetros por el monte. *(andar)*
14. Mi madre nunca ____________ la verdad. *(saber)*
15. ¿No te contestaron? A lo mejor no ____________ el teléfono. *(oír)*
16. Mi padre ____________ mucho la muerte de mi madre. *(sentir)*
17. El niño ____________ el castillo de arena. *(deshacer)*
18. El otro día ____________ tarde a la exposición de pintura. *(llegar, yo)*
19. El otoño pasado ____________ más que este. *(llover)*
20. Andrés dice que el sábado ____________ muchísimo en casa de Amparo. *(divertirse)*

Aciertos: .... **de 22**

3. Complete según el modelo.

1. *Hago*	*hice*	11. Repite	____________
2. Salgo	____________	12. Conduzco	____________
3. Mueren	____________	13. Devuelve	____________
4. Dispongo	____________	14. Puedes	____________
5. Sabes	____________	15. Da	____________
6. Acerco	____________	16. Quiere	____________
7. Traemos	____________	17. Vienen	____________
8. Destruye	____________	18. Producen	____________
9. Compone	____________	19. Sentís	____________
10. Dormís	____________	20. Pido	____________

Aciertos: .... **de 19**

4. Formule la pregunta como en el modelo.

1. *A qué hora / levantarse / ayer* — *¿A qué hora te levantaste ayer?*
2. Dónde / estar / entre las 3 y las 5 de la tarde

   ____
3. A quién / le / decir eso

   ____

4. En qué hotel / estar / la última vez
5. Dónde / poner / la carta de María
6. Con quién / jugar al tenis / el domingo
7. A qué hora / llegar / ayer a casa
8. Por qué / no decir / tu número de teléfono
9. Dónde / nacer
10. Cuándo / obtener / la beca
11. Cómo / saber / la noticia del premio
12. Cuánto dinero / le / dar / a Juan
13. Cómo / poder / hacer / ese ejercicio

Aciertos: .... de 12

5. Formule la pregunta en la forma *usted*.

1. *A qué hora / levantarse / ayer*
   ¿A qué hora se levantó ayer?
2. Dónde / estar / entre las 3 y las 5 de la tarde
3. A quién / le / decir eso
4. En qué hotel / estar / la última vez
5. Dónde / poner / la carta de María
6. Con quién / jugar al tenis / el domingo
7. A qué hora / llegar / ayer a casa
8. Por qué / no decir / su número de teléfono
9. Dónde / nacer
10. Cuándo / obtener / la beca
11. Cómo / saber / la noticia del premio
12. Cuánto dinero / le / dar / a Juan
13. Cómo / poder / hacer / ese ejercicio

Aciertos: .... de 12

6. Ahora, formule la pregunta en la forma *vosotros*.

1. *(A qué hora / levantarse / ayer)* *¿A qué hora os levantasteis ayer?*
2. Dónde / estar / entre las 3 y las 5 de la tarde
3. A quién / le / decir eso
4. En qué hotel / estar / la última vez
5. Dónde / poner / la carta de María
6. Con quién / jugar al tenis / el domingo
7. A qué hora / llegar / ayer a casa
8. Por qué / no decir / vuestro número de teléfono
9. Dónde / nacer
10. Cuándo / obtener / la beca
11. Cómo / saber / la noticia del premio
12. Cuánto dinero / le dar / a Juan
13. Cómo / poder / hacer / ese ejercicio

Aciertos: .... de 12

7. Complete las frases con el verbo adecuado en pretérito perfecto simple.

querer huir llegar caerse dormir
devolver destruir producir patinar detener

1. *Aquel año España* produjo *tanto vino como Francia.*
2. Al final, todos los pasajeros ____________ volver en tren.
3. Como no les gustaba el sofá, lo ____________ a la tienda de muebles.
4. Ayer, cuando ____________ a mi casa, mis hijos no estaban.
5. El huracán ____________ todo lo que encontró.
6. El ladrón ____________ antes de llegar la policía.
7. El coche ____________ a causa del hielo y luego ____________ por un terraplén.
8. La policía ____________ a los ladrones cuando salían del banco.
9. Como no encontramos hotel, ____________ en una pensión barata.

Aciertos: .... de 9

TEMA 1 TOTAL aciertos: .... de 101

Tema 2

EL IMPERFECTO Y EL PERFECTO SIMPLE

Las terminaciones del pretérito imperfecto y del pretérito perfecto simple son:

Imperfecto		Perfecto simple	
-ar	*-er / -ir*	*-ar*	*-er / -ir*
-aba	-ía	-é	-í
-abas	-ías	-aste	-iste
-aba	-ía	-ó	-ió
-ábamos	-íamos	-amos	-imos
-abais	-íais	-asteis	-isteis
-aban	-ían	-aron	-ieron

USO

Pretérito imperfecto

1 Se usa para hablar de acciones habituales y repetidas en el pasado:

- *Antes **venía** en metro, pero ahora vengo en mi coche.*
- *Mi abuelo **trabajaba** en una fábrica de zapatos.*
- *Cuando era pequeña, siempre **salía** a patinar con mis amigas los domingos.*

2 También se usa para describir en el pasado:

- *La casa de mis padres **estaba** en el centro del pueblo. **Era** muy grande y **tenía** tres plantas.*

3 Presenta la acción en su desarrollo:

- *Mientras todos **charlaban**, Juan **miraba** por la ventana.*
- ***Leía** su libro preferido mientras **tomaba** una taza de café.*

Pretérito perfecto simple

1 Se usa para hablar de acciones terminadas en el pasado. Esas acciones pueden ser únicas o repetidas. Para delimitarlas suele haber un marcador temporal explícito o implícito en el contexto:

- *¿Qué **hicisteis** en **Semana Santa**?*
- *La semana pasada **fui** en metro **tres veces**.*
- *Los Martínez **estuvieron** en EEUU **mucho tiempo**.*
- ***En abril fuimos** a París.*

Pretérito imperfecto / pretérito perfecto simple

1 Cuando aparecen juntos, el pretérito perfecto simple expresa la acción principal, y el pretérito imperfecto describe la causa o circunstancias en las que se desarrolla la acción principal:

- *El niño **se comió** todos los bombones que **había** en la caja.*
- *Cuando **tenía** 18 años, **se fue** de la casa de sus padres porque **quería** vivir en otra ciudad.*

Ejercicios

1. **¿Qué hacía usted cuando tenía 18 años? Escriba frases afirmativas o negativas.**

1. *Tocar la guitarra.* *Yo tocaba la guitarra. (o Nunca tocaba la guitarra).*
2. Salir con los amigos. ____________
3. Escribir poemas. ____________
4. Tener pareja. ____________
5. Estudiar mucho. ____________
6. Jugar al fútbol. ____________
7. Trabajar. ____________
8. Tener moto. ____________
9. Llevar ropa moderna. ____________

Aciertos: .... de 8

2. **Subraye la forma verbal adecuada.**

1. *Cuando vivimos / vivíamos en Roma conocíamos a muchos italianos que estudiaban / estudiaron Económicas.*
2. No me *compré / compraba* las botas porque *eran / fueron* demasiado caras.
3. La casa que se *compraron / compraban* en la playa no *tenía / tuvo* jardín.
4. El domingo *veía / vi* una película en la que *actuó / actuaba* Antonio Banderas.
5. Cuando *fui / era* pequeña me *regalaron / regalaban* una muñeca que *hablaba / habló.*
6. El tren que *estuvo / estaba* en la vía 1 no *fue / iba* en la dirección que *quisimos / queríamos.*
7. El otro día Alejandro se *comió / comía* todas las galletas que *hubo / había* en la caja.
8. Cuando yo *fui / era* joven, a mi padre no le *gustaban / gustaron* mis amigos porque *llevaron / llevaban* el pelo largo y *tocaban / tocaron* la guitarra eléctrica.
9. • ¿Qué *hacías / hiciste* cuando *tenías / tuviste* 10 años?
   • Pues lo normal, *fui / iba* al colegio, *jugaba / jugué* con otros niños... y una vez me *caí / caía* de la bici y me *rompía / rompí* un brazo.
10. Durante mucho tiempo, Jorge *era / fue* mi mejor amigo. *Íbamos / Fuimos* juntos a clase y los fines de semana *íbamos / fuimos* al cine o al fútbol. Pero un día, él *empezaba / empezó* a salir con una chica que *estudiaba / estudió* Periodismo y yo me *fui / iba* a vivir a Guadalajara.

Aciertos: .... de 32

3. **Complete con el verbo en pretérito imperfecto o en pretérito perfecto simple.**

1. *Mientras un avión despegaba, otro aterrizaba.*
2. Mientras ____________, Daniel ____________ con el dinero de la beca. *(estudiar, vivir)*
3. ¿Y los niños? Hace un momento ____________ en el patio. *(estar)*
4. El sábado por la tarde ____________ a comprar, pero las tiendas ____________ cerradas. *(salir, nosotros; estar)*

5. • ¿Has visto la exposición de Juan Gris?
   • Sí, __________ el domingo, pero no __________ nada. *(ir, gustar)*
6. • ¿Qué tal el viaje?
   • Fatal, el hotel __________ muy lejos del centro, las habitaciones __________ muy pequeñas y, además, no __________ muy limpias. *(estar, ser, estar)*
7. ¿Las vacaciones? Muy bien, __________ estupendamente. *(pasarlo, nosotros)*
8. Ayer __________ a Sandra, pero no __________ en casa. *(llamar, yo; estar)*
9. Él __________ llegar a tiempo a la reunión, pero el coche __________ y __________ tarde. *(querer, estropearse, llegar)*
10. Después de comer, siempre __________ la siesta. *(dormir)*
11. Antes de casarnos, ni Luis ni yo __________ trabajo fijo. *(tener)*
12. El hospital donde __________ mi madre __________ muy pequeño y __________ cerca de mi casa. *(trabajar, ser, estar)*
13. Hasta que Fleming __________ la penicilina, muchas enfermedades __________ incurables. *(descubrir, ser)*
14. __________ de salir con Laura porque nunca __________ nada que decirnos. *(Dejar, yo; tener, nosotros)*

Aciertos: .... de 25

4. Complete la historia con los verbos del recuadro en el tiempo adecuado.

hacer casarse comenzar saber tener llevar ser (2) ver ir

Yo *vi* a mi marido por primera vez en 1968. (Él) ____ un viejo amigo de mi familia. Cuando yo ________ 19 años, mi madre me ________ a Suecia a conocerlo. Pero ________ a salir cuando él ________ a vernos a Roma. ________ el 23 de agosto. ________ una boda muy sencilla. Nadie lo ________ porque no (nosotros) ________ ninguna celebración.

Aciertos: .... de 9

5. Complete las frases libremente.

1. Ayer no vine a clase porque ______________________________
   ____
2. Luis el verano pasado conoció a una chica que ______________________________
   ____
3. Como el jueves era mi cumpleaños, ______________________________
   ____
4. Hemos pasado las vacaciones en un hotel que ______________________________
   ____
5. Como el domingo había un partido de fútbol en la tele, yo ______________________________
   ____

TEMA 2 TOTAL aciertos: .... de 74

Tema 3

EL PLUSCUAMPERFECTO

Pretérito pluscuamperfecto

Se forma con el imperfecto del verbo *haber* + participio pasado

Pretérito imperfecto de *haber*	+ Participio pasado
había	cantado / bebido / salido
habías	
había	
habíamos	
habíais	
habían	

Participios irregulares			
abrir	**abierto**	ver	**visto**
escribir	**escrito**	decir	**dicho**
hacer	**hecho**	morir	**muerto**
poner	**puesto**	resolver	**resuelto**
romper	**roto**	volver	**vuelto**

Uso

1. Se usa para expresar acciones pasadas que son anteriores a otras también pasadas:
   - *Ayer, cuando* ***volví*** *a casa, Tere ya* ***había hecho*** *la comida.*

2. Se usa en correlación con el pretérito perfecto para indicar que es la primera vez que hacemos algo:
   - *Hoy* ***he visto*** *un tiburón de verdad. Antes de ahora nunca* ***había visto*** *uno.*

1. Escriba el participio de estos verbos.

1. Salir *salido*
2. Abrir ______
3. Escribir ______
4. Guardar ______
5. Empezar ______
6. Poner ______
7. Responder ______
8. Romper ______
9. Ir ______
10. Quemar ______
11. Beber ______
12. Comprar ______
13. Ver ______
14. Volver ______
15. Cruzar ______
16. Envolver ______
17. Morir ______
18. Resolver ______

Aciertos: .... de 17

2. Siga el modelo.

1. Estar, yo *Yo había estado.*
2. Ser, ellos ______
3. Despertarse, ella ______
4. Abrir, tú ______
5. Hacer, nosotros ______
6. Levantarse, vosotros ______
7. Divorciarse, yo ______
8. Oír, vosotros ______

Aciertos: .... de 7

3. Complete según el modelo.

Ahora / hoy	Antes de ahora
1. he visto una procesión,	*no había visto ninguna.*
2. ______ paella, *(comer)*	no la ______ nunca. *(probar)*
3. ______ en el mar, *(bañarse)*	no lo ______ nunca. *(hacer)*
4. ______ una novela, *(escribir)*	no ______ ninguna. *(escribir)*
5. ______ en una película, *(trabajar)*	no ______ cine nunca. *(hacer)*

Aciertos: .... de 8

4. **Subraye el tiempo adecuado, como en el modelo.**

1. *Cuando visité Barcelona, ha cambiado / había cambiado mucho desde la última vez.*
2. • ¿*Has estado / habías estado* antes en Ámsterdam?
   • Sí, estuve aquí en 1991. Esta es la segunda vez que vengo.
3. • ¿Qué tal está Sergio?
   • Lo vi hace dos meses y me dijo que *ha tenido / había tenido* un accidente con la moto, pero que ya estaba mejor.
4. • ¿*Has terminado / habías terminado* ya lo que tenías que hacer?
   • Sí, ahora mismo.
5. Cuando la policía llegó, los ladrones ya *se han llevado /habían llevado* todo.
6. ¡Madre mía! Es la casa más lujosa que *he visto / había visto* en mi vida.
7. El juez *ha declarado / había declarado* inocente a Félix porque no *habían encontrado / han encontrado* pruebas suficientes.
8. El otro día, en la calle, y se me acercó una mujer a la que no *he visto / había visto* antes y empezó a hablar conmigo.

Aciertos: .... de 8

5. **Haga la transformación necesaria, según el modelo.**

1. *Yo / llegar / a casa. Tomás / salir* *Cuando llegué a casa, Tomás había salido.*
2. Yo / ir a verlos. Ellos / desayunar
   ....
3. Nosotros / llegar a la estación. El tren / salir
   ....
4. Nosotros / ir a comprar. El supermercado / cerrar
   ....
5. Yo / ver a Lola / en verano. Lola / casarse
   ....
6. Yo / llamar a Nicolás. Nicolás / enterarse de la noticia
   ....

Aciertos: .... de 5

6. **Usted le cuenta a un colega que el otro día vio a su amiga Amparo. Complete con pretérito pluscuamperfecto.**

«El otro día me encontré con Amparo, estaba muy contenta. Me dijo que su hija *(tener)* __________ un hijo, que su marido *(jubilarse)* __________, que su hijo mayor *(encontrar)* __________ trabajo y que el pequeño *(irse)* __________ al extranjero con una beca. También me contó que *(vender)* __________ el piso y *(comprar)* __________ un chalé cerca de la playa».

Aciertos: .... de 6

TEMA 3 TOTAL aciertos: .... de 51

Tema 4

CONOCER, SABER, PODER

Presente de indicativo

conocer	*saber*	*poder*
conozco	sé	puedo
conoces	sabes	puedes
conoce	sabe	puede
conocemos	sabemos	podemos
conocéis	sabéis	podéis
conocen	saben	pueden

Uso

Conocer

1 Se usa cuando se ha tenido alguna experiencia de la cosa o persona conocida. Se puede conocer un libro, un lugar, a una persona, etc. Va con un sustantivo:

- *¿**Conoces al marido de Carmen**?*
- *Yo **conozco un sitio** por aquí donde ponen unas tapas buenísimas.*

Saber

1 Se utiliza para hablar de habilidades aprendidas (*nadar, dibujar, hablar un idioma*, etc.). Va con un infinitivo o con una oración:

- *¿**Sabes hablar** árabe?*
- *No **sé cuándo volveremos a Roma**.*

2 Se usa para hablar del conocimiento que se tiene o no se tiene de una información:

- *¿**Sabes quién** se ha casado? María.*
- *¿**Sabe** usted **ir** a la Plaza Mayor?*

Poder

1 Expresa la posibilidad o capacidad de hacer algo. Va con un infinitivo:

- *Ella **puede correr** los 1000 metros sin parar y tú, no.*
- *Hoy no **puedo tocar** el piano, me duele mucho la cabeza.*

2 Se usa para pedir permiso o dar órdenes e instrucciones:

- *Perdón, ¿**puedo** sentarme aquí?*
- *Juan, ¿**puedes** sentarte, por favor?*

Saber / conocer

1 Algunas veces *saber* y *conocer* se usan en los mismos casos, son sinónimos: Cuando *conocer* significa *enterarse o estar enterado de* un suceso o una noticia:

- ***Conozco / Sé** las dificultades de este trabajo.*
- *Gracias a Internet, hoy las noticias **se conocen / se saben** inmediatamente en todo el mundo.*

2 Cuando queremos expresar tener conocimiento, ideas sobre una materia o ciencia:

- *Ramón **conoce / sabe** su oficio.*
- *¿**Conoces / Sabes** algo sobre la teoría de la relatividad?*

1. Pregúntele a un amigo sobre sus habilidades y luego señálelo (X).

	Sabe	No sabe
1. Tocar el piano	______	______
2. Jugar al ajedrez	______	______
3. Conducir una moto	______	______
4. Montar a caballo	______	______
5. Hacer tartas	______	______
6. Pintar cuadros	______	______
7. Bailar tango	______	______

Después, escriba las frases anteriores, según las respuestas.

______________ (no) sabe tocar el piano.

____

____

____

____

____

____

Ahora puede hacerlo sobre usted mismo.

Yo (no) sé tocar el piano.

____

____

____

____

____

____

2. Complete las preguntas con *conocer* o *saber*, según convenga.

1. *¿(Tú) conoces México, DF?*
2. ¿(Tú) ____________ al marido de Concha?
3. ¿(Tú) ____________ jugar al rugby?
4. ¿ (Usted)____________ dónde vive el director?
5. ¿(Tú) ____________ quién vino ayer a casa?
6. ¿ (Usted)____________ a la nueva ayudante de producción?
7. ¿(Tú) ____________ la última obra de Gabriel García Márquez?
8. ¿(Tú) ____________ dónde puso Laura mi agenda?
9. ¿ (Usted) ____________ algo más del problema con el banco?
10. ¿(Tú) ____________ quién era el verdadero propietario de la empresa?

Aciertos: .... de 9

3. Complete las frases con *saber* o *poder* en el tiempo adecuado.

1. *Ayer no* **pude** *venir a trabajar porque tenía que hacer unos recados.*
2. • ¿Quieres un caramelo?
   • No, gracias, no ____________ comer dulces, el médico me lo ha prohibido.
3. Desde mi terraza se ____________ ver la Sierra de Gredos.
4. Mi profesor de inglés no ____________ ni una palabra de español.
5. ¿Tú ____________ escribir sin mirar el teclado?
6. Parece que esos jugadores no ____________ las reglas del juego.
7. ¿____________ llevar una moto?
8. Yo, sin gafas, no ____________ ver nada.
9. Los niños no ____________ ir solos al colegio porque no les han enseñado.
10. Los niños no ____________ ir solos al colegio porque aún son muy pequeños.
11. ¿____________ decirme a qué hora sale el próximo avión para Barcelona?
12. Niños, ¿____________ apagar la tele y hacer los deberes?
13. ¿Alguien ____________ cómo funciona esto?
14. Me llamaron por teléfono y no ____________ terminar de cenar.
15. Cuando la policía nos preguntó por el accidente, no ____________ qué contestar.

Aciertos: .... de 14

4. Pida favores con *poder* + infinitivo, según la situación.

1. Usted está en un restaurante y en su mesa no hay aceiteras para la ensalada. En la mesa de al lado sí tienen.
   ____
2. Los niños están haciendo mucho ruido. A usted le duele la cabeza.
   ____
3. Necesita tomar un autobús para ir al centro, y no sabe dónde está la parada.
   ____
4. Tiene un billete de 100 euros y necesita monedas y billetes más pequeños. Entra en un banco.
   ____
5. Usted tiene el coche en el taller. Un compañero tiene coche y va en su misma dirección.
   ____
6. Usted está enfermo y no ha podido ir a clase. Sus compañeros saben qué ejercicios hay que hacer.
   ____
7. Son las 2 de la mañana. Los vecinos tienen fiesta familiar. Usted no puede dormir.
   ____

Aciertos: .... de 7

5. Complete con *conocer* / *saber* / *poder*.

1. *Eulalia no sabe hacer paella.*
2. Él dice que no ______________ venir a verte mañana.
3. Yo no ______________ el nombre de su calle.
4. Pocas personas ______________ el secreto de la pirámide.
5. Nosotros ______________ recogerte a las 7 en punto.
6. Ellos no ______________ bailar flamenco.
7. ¿ ______________ (vosotros) decirme dónde están los papeles del seguro?
8. ¿ ______________ (tú) a la responsable del informativo de la tarde?
9. ¿ ______________ hablar con usted un momento, Sr. Pérez?
10. ¿Quién ______________ la dirección del Sr. Fernández?
11. Aquí nadie ______________ cómo se cambia el papel de la fotocopiadora.
12. ¿Quién ______________ al nuevo Director General?
13. ¿Cómo ______________ (tú) estudiar con tanto ruido?
14. ¿Desde cuándo ______________ este restaurante?
15. ¿Cómo ______________ nadar tan bien?
16. ¿Alguien ______________ el último disco de Alejandro Sanz?
17. Hoy no ______________ hacer más ejercicios. Estoy cansado.

Aciertos: .... de 16

6. Pida permiso con *poder* + infinitivo, según la situación.

1. En el parque hay un banco ocupado solo por una persona. Hay sitio para alguien más. Ustedes quieren sentarse.

   ____

2. Su teléfono se ha estropeado y necesita hacer una llamada. Va a casa de su vecino.

   ____

3. En la oficina de información hay folletos en el mostrador y usted quiere uno.

   ____

4. Su bicicleta está rota y quiere hacer una excursión mañana. Se la pide a su hermano.

   ____

5. Estáis cenando en casa de unos amigos. La ensalada está muy rica y queréis serviros más.

   ____

Aciertos: .... de 5

TEMA 4 TOTAL aciertos: .... de 51

Tema 5

ESTUVE / ESTABA / HE ESTADO + GERUNDIO

Imperfecto	Perfecto simple	Perfecto compuesto	
estaba	estuve	he estado	+ gerundio
estabas	estuviste	has estado	
estaba	estuvo	ha estado	
estábamos	estuvimos	hemos estado	
estabais	estuvisteis	habéis estado	
estaban	estuvieron	han estado	

USO

Estaba cantando / estuve cantando

1 **Estaba cantando se opone a estuve cantando de la misma forma que cantaba se opone a canté:**

- *Ayer* ***estuve esperando*** *el autobús mucho tiempo.*
- *Cuando* ***estaba esperando*** *el autobús, llegó María.*
- *La otra noche* ***estuvimos hablando*** *de las elecciones.*
- *Mientras* ***estábamos hablando*** *de las elecciones, ellas* ***estaban bailando****.*

2 **El valor de habitualidad del pretérito imperfecto no puede expresarse con *estar* + gerundio:**

No se puede decir:
- *Antes* ***estaba durmiendo*** *todos los días la siesta, pero ahora no.*

Hay que decir:
- *Antes* ***dormía*** *todos los días la siesta, pero ahora no.*

3 **Algunos verbos como *ir, tener, venir, volver,* no suelen admitir *estar* + gerundio:**

No se puede decir:
- *Ayer Eva* ***estaba llevando*** *unos pantalones nuevos.*
- *El año pasado la empresa* ***estaba teniendo*** *beneficios.*
- *Cuando* ***estaba volviendo*** *del trabajo, me encontré a un amigo.*

Hay que decir:
- *Ayer Eva* ***llevaba*** *unos pantalones nuevos.*
- *El año pasado la empresa* ***tuvo*** *beneficios.*
- *Cuando* ***volvía*** *del trabajo, me encontré a un amigo.*

He estado cantando

1 **Se usa para insistir en la duración de la acción. Se utiliza con los mismos marcadores temporales que el pretérito perfecto.**

- *Esta mañana la niña* ***ha estado llorando*** *un buen rato.*
- ***He estado limpiando*** *toda la mañana.*
- ***Hemos estado esperando*** *estas vacaciones durante varios años.*

Ejercicios

1. **¿Qué estaban haciendo ayer a las 5 de la tarde, cuando empezó la tormenta?**

1. *Ramón / dormir la siesta*	*Ramón estaba durmiendo la siesta.*
2. Los niños / salir del colegio	....
3. Carlos y su mujer / fregar los platos	....
4. Nosotros / prepararse para salir	....
5. Ángel /terminar el informe	....
6. Mi mujer / esperar el metro	....
7. Mi abuela / merendar té y pastas	....
8. Mi abuelo / oír las noticias	....

Aciertos: .... de 7

2. **Complete con *estaba* o *estuvo* + gerundio.**

1. *El sábado **estuvimos bailando** hasta las 4 de la mañana. (bailar, nosotros)*
2. • Ayer te llamé a las 8 de la tarde y no estabas.
   • A esa hora .... en el gimnasio. *(entrenar)*
3. Mientras los Martínez .... el partido por la tele, los niños .... en la habitación. *(ver, jugar)*
4. • ¿Qué hicisteis ayer?
   • .... en casa de un compañero de Antonio. *(cenar)*
5. Cuando llamó mi madre, yo .... las bebidas para los invitados. *(preparar)*
6. Los ministros .... ese tema varias horas y, al final, no solucionaron nada. *(discutir)*
7. El otro día .... unas tapas, cuando llegó la ex mujer de Fernando. *(tomar, nosotros)*
8. • Niños, ¿qué .... en vuestro cuarto? *(hacer)*
   • Nada, mamá, ... al fútbol. *(jugar)*
9. Laura se cayó de la escalera cuando .... la lámpara. *(arreglar)*
10. En 1989 .... la casa de Mozart en Praga. *(ver)*

Aciertos: .... de 11

3. **Lea y subraye la forma adecuada.**

1. *Cuando estaba siendo / **era** niño, mis padres me llevaron una vez al circo.*
2. Ayer no fui al concierto de *rock* porque me *estaba encontrando / encontraba* mal.
3. Cuando sonó el teléfono, yo me *estaba duchando / duchaba*.
4. Empezó a llover cuando *estábamos volviendo / volvíamos* a casa.
5. Mi marido tuvo un accidente cuando *estaba pintando / pintaba* el baño.
6. *Estábamos jugando / jugábamos* a las cartas y, de repente, José empezó a decir que hacíamos trampas.
7. ¿Sabes? El otro día, *estaba yendo / iba* en autobús y me encontré a Sarita.
8. Anoche, como no *estaba teniendo / tenía* hambre, solo cené fruta.

9. Cuando conocí a Javier, *estaba terminando / terminaba* Veterinaria.
10. *Estábamos escuchando / escuchábamos* la radio y no oímos pelear a los vecinos.

Aciertos: .... de 9

4. Construya frases siguiendo el modelo.

1. *Mi hijo / estudiar / un año en Pisa*
   Mi hijo ha estado estudiando un año en Pisa.
2. Este fin de semana / llover / todo el tiempo
   ____
3. Yo / limpiar / todo el día
   ____
4. Antonio / arreglar su moto / toda la mañana
   ____
5. Los niños / llorar / toda la mañana
   ____
6. Ana M.ª y su amiga / viajar por todo el mundo / cinco meses
   ____
7. Mi padre / trabajar / en esa empresa / toda la vida
   ____
8. Julio y Carmen / salir juntos / siete años
   ____

Aciertos: .... de 7

5. Complete con los verbos del recuadro en el tiempo correcto: *he estado / estuve / estaba* + gerundio.

acostarse ver mirar terminar
visitar transportar esperar llover

1. *Alicia es española, pero este verano ha estado visitando a unos parientes en Argentina.*
2. Cuando llegó a casa, sus amigos ______________ el partido en la tele.
3. • ¿Qué te pasa?, ¿estás cansado?
   • Sí, es que ______________ paquetes de un sitio a otro toda la mañana.
4. Ayer, cuando salimos de casa, ______________ muchísimo.
5. • Juan, ¿por qué vienes tan tarde?
   • Es que ______________ un trabajo y se ha hecho tarde.
6. El transporte público está fatal, ayer ______________ el autobús más de media hora.
7. Maribel y Andrés llegaron cuando nosotros ______________
8. No sé qué regalar a Lola; el sábado ______________ en varias tiendas y no encontré nada.

Aciertos: .... de 7

TEMA 5 TOTAL aciertos: .... de 42

Tema 6

EL IMPERATIVO

Imperativo afirmativo

- Verbos regulares

	hablar	*comer*	*escribir*
(tú)	habla	come	escribe
(él, ella, usted)	hable	coma	escriba
(nosotros/-as)	hablemos	comamos	escribamos
(vosotros/-as)	hablad	comed	escribid
(ellos/-as, ustedes)	hablen	coman	escriban

- **Verbos irregulares**

Recuerde que generalmente tienen la misma irregularidad que el presente de indicativo en la 2.ª y 3.ª persona del singular y 3.ª del plural. Otras veces, la irregularidad es total.

	Presente	**Imperativo**
cerrar	cierro...	cierra, cierre, cerremos, cerrad, cierren
decir	digo...	di, diga, digamos, decid, digan
hacer	hago...	haz, haga, hagamos, haced, hagan
ir	voy...	ve, vaya, vayamos, id, vayan
poner	pongo...	pon, ponga, pongamos, poned, pongan
salir	salgo...	sal, salga, salgamos, salid, salgan
venir	vengo...	ven, venga, vengamos, venid, vengan

Imperativo negativo

• Verbos regulares

	hablar	*comer*	*escribir*
(tú)	**no** habl**es**	**no** com**as**	**no** escrib**as**
(él, ella, usted)	**no** habl**e**	**no** com**a**	**no** escrib**a**
(nosotros/-as)	**no** habl**emos**	**no** com**amos**	**no** escrib**amos**
(vosotros/-as)	**no** habl**éis**	**no** com**áis**	**no** escrib**áis**
(ellos/-as, ustedes)	**no** habl**en**	**no** com**an**	**no** escrib**an**

• Verbos irregulares

decir	no digas	no diga	no digamos	no digáis	no digan
hacer	no hagas	no haga	no hagamos	no hagáis	no hagan
ir	no vayas	no vaya	no vayamos	no vayáis	no vayan
irse	no te vayas	no se vaya	no vayamos	no vayáis	no se vayan
poner	no pongas	no ponga	no pongamos	no pongáis	no pongan
salir	no salgas	no salga	no salgamos	no salgáis	no salgan
venir	no vengas	no venga	no vengamos	no vengáis	no vengan

Uso

Imperativo

1 Se usa para dar órdenes en situaciones de confianza, por ejemplo de padres a hijos, de profesores a alumnos:

- *Para mañana **haced** todos los ejercicios de la página 30.*

2 Para dar instrucciones:

- ***No entren ni salgan** después del toque de silbato.*

3 Para dar consejos, por ejemplo, en la publicidad:

- ***Venga** a vernos y le informaremos.*

4 La primera persona del plural (nosotros) se usa poco y casi siempre en frases hechas:

- ***Vayamos** por partes, primero vamos a hablar de...*
- *Bueno, si estamos listos, **pongamos** manos a la obra.*

5 Cuando va con pronombres:
- Si está en forma afirmativa, los pronombres van detrás del verbo y se escriben en una sola palabra.
- Si está en forma negativa, los pronombres van delante del verbo:

- ***Quítate** las gafas.*
- ***Dale** tu papel a tu compañero.*
- ***Díselo** todo.*
- ***No te quites** las gafas.*
- ***No le des** tu papel a tu compañero.*
- ***No se lo digas** todo.*

(Puede revisar este contenido en los temas 26 y 27 del nivel anterior).

Ejercicios

1. Escriba el imperativo afirmativo, como en el modelo.

1. (Tú) *Ven a casa a las 5.*
2. (Vosotros) __________ *(levantar)* los brazos.
3. (Ustedes) __________ *(mirar)* a la derecha.
4. (Usted) __________ *(sacar)* los billetes de avión.
5. (Tú) __________ *(cerrar)* tus libros.
6. (Vosotras) __________ *(hacer)* los deberes.
7. (Tú) __________ *(mover)* las piernas.
8. (Vosotros) __________ *(pedir)* el menú.
9. (Usted) __________ *(ir)* a la biblioteca.
10. (Ustedes) __________ *(escuchar)* lo que dicen.
11. (Tú) __________ *(salir)* a la calle.
12. (Vosotras) __________ *(entrar)* en casa.
13. (Ustedes) __________ *(ver)* las noticias.
14. (Tú) __________ *(comprar)* el periódico.

Aciertos: .... de 13

2. Complete estas advertencias con uno de los imperativos del recuadro.

se asome hable conduzca cierre
llame pise tire toque

1. *No pise el césped.*
2. No __________ papeles al suelo.
3. No __________, peligro de muerte.
4. Por favor, no __________ alto.
5. __________ antes de entrar.
6. __________ la puerta con cuidado.
7. __________ con precaución, hay hielo.
8. No __________ a la ventana, es peligroso.

Aciertos: .... de 7

3. Complete como el modelo.

AFIRMATIVO	NEGATIVO	
	Usted	Ustedes
1. *Espere.*	*No espere.*	*No esperen.*
2. Firme aquí.	__________	__________
3. __________	No traiga el informe.	__________
4. Pase por aquí.	__________	__________
5. __________	__________	No repitan.

Aciertos: .... de 8

4. Escriba estas instrucciones en forma negativa.

1. *Ven a casa a las 5.* — *No vengas a casa a las 5.*
2. Levanta la cabeza. ______________________
3. Mira allí. ______________________
4. Saca la lengua. ______________________
5. Recoge tus cosas. ______________________
6. Haz los deberes. ______________________
7. Mueve las piernas. ______________________
8. Espera en la cafetería. ______________________
9. Ve a clase. ______________________
10. Escucha lo que dicen. ______________________
11. Sal de aquí. ______________________
12. Entra en casa. ______________________
13. Pasa por ahí. ______________________
14. Compra el periódico. ______________________
15. Llama a tu madre. ______________________
16. Pon la radio. ______________________
17. Apaga la luz. ______________________
18. Abre las ventanas. ______________________
19. Responde al teléfono. ______________________
20. Habla con tu jefe. ______________________

Aciertos: .... de 19

5. Complete como el modelo.

1. *Dejad los abrigos ahí.* — *No dejéis los abrigos ahí.*
2. Abrid el cuaderno. ______________________
3. ______________________ No cerréis el libro.
4. ______________________ No escuchéis esa canción.
5. Venid pronto. ______________________
6. ______________________ No habléis alto.
7. Esperad al autobús. ______________________
8. Id andando. ______________________

Aciertos: .... de 7

6. Transforme como en el modelo.

1. *Cállate.* — *No te calles.*
2. Tómese estas pastillas. ______________________
3. Lavaos las manos. ______________________
4. Fijaos en esta imagen. ______________________

5. Siéntese ahí. ______
6. Tomaos toda la sopa. ______
7. Báñate ya. ______
8. Sécate el pelo. ______
9. Deténganse. ______
10. Despídete ya. ______
11. Vete. ______
12. Ponte el abrigo. ______
13. Llévate el paraguas. ______
14. Pruébese esta chaqueta. ______
15. Duérmete. ______
16. Acostaos. ______
17. Levántate temprano. ______
18. Dúchate con agua fría. ______

Aciertos: .... de 17

7. Forme el imperativo negativo.

1. *Déjame eso ahí.* *No me dejes eso ahí.*
2. Dime lo que te pasa. ______
3. Escríbeme otra vez. ______
4. Dale propina al camarero. ______
5. Hazle ese favor. ______
6. Escríbenos. ______
7. Llámales por teléfono. ______
8. Diles la verdad. ______
9. Devuélvele el dinero. ______
10. Tráeme más pan. ______
11. Préstales el coche. ______
12. Regálale otro videojuego. ______

Aciertos: .... de 11

8. Escriba el imperativo negativo en la forma *usted*.

1. *Déjeme eso ahí.* *No me deje eso ahí.*
2. Dígame lo que le pasa. ______
3. Escríbame otra vez. ______
4. Dele propina al camarero. ______
5. Hágale ese favor. ______
6. Escríbanos. ______
7. Llámeles por teléfono. ______
8. Dígales la verdad. ______
9. Devuélvale el dinero. ______
10. Tráigame más pan. ______

11. Présteles el coche. ______________
12. Regálele otro videojuego. ______________

Aciertos: .... de 11

9. Escriba la forma negativa.

1. *Dámelo.* *No me lo des.*
2. Házmela. ______________
3. Póntelo. ______________
4. Díselo. ______________
5. Tráigasela. ______________
6. Hazlo. ______________
7. Páguelo. ______________
8. Échalas. ______________
9. Guárdatelo. ______________
10. Cómpratelas. ______________

Aciertos: .... de 9

10. Conteste como en el ejemplo. Puede responder afirmativa o negativamente.

1. *¿Puedo darles a los niños el helado?*
   Sí, dáselo. o *No, no se lo des.*
2. ¿Puedo ponerme tus gafas de sol?
   ____
3. ¿Puedo pagarle el recibo del agua al portero?
   ____
4. ¿Le presto el coche a Juan?
   ____
5. ¿Puedo llevarme el periódico a mi habitación?
   ____
6. ¿Le doy a Ernesto los 600 euros?
   ____
7. ¿Te hago ya la cena?
   ____
8. ¿Puedo decirle a mi amiga Marisa que venga?
   ____
9. ¿Les digo a los niños que se vayan?
   ____

Aciertos: .... de 8

TEMA 6 TOTAL aciertos: .... de 110

Tema 7

LAS PREPOSICIONES
A, CON, DE, EN, POR...

Las preposiciones

A, CON, DE, EN, POR

Hay muchos verbos que habitualmente van con, o necesitan una preposición concreta. Así, por ejemplo, decimos que *confiar* necesita la preposición *en*. Para saber qué preposición acompaña a un verbo hay que consultar el diccionario.

Preposiciones y verbos más frecuentes:

A: *invitar, parecerse, asistir, ayudar, jugar, conectarse, dedicarse*, etc.
A + infinitivo: *empezar, acostumbrarse, atreverse, obligar, enseñar, aprender*, etc.

- *Lucas no **se parece a** Laura. Son muy diferentes.*
- *¿Vas a **asistir a** la conferencia sobre bioética?*
- ***Hemos empezado a** hacer deporte esta semana.*
- *María **ha aprendido** a tocar la guitarra.*

CON: *soñar, conformarse, casarse*, etc.

- *Hoy **he soñado** con el mar.*
- *¿Sabes que Roberto **se ha casado con** Bea?*

DE: *enamorarse, saber, tener miedo, acabar, abusar, depender, reírse, quejarse, enterarse, lamentarse, acordarse, olvidarse, despedirse, cansarse*, etc.

- *Elena **se enamoró de** Víctor el año pasado.*
- *No entro ahí. **Tengo miedo de** la oscuridad.*

EN: *confiar, insistir, pensar, creer, fijarse, participar*, etc.

- *te preocupes. Debes **confiar en** la policía.*
- *¿Vas a **participar en** el concurso de baile?*

POR: *preocuparse, brindar, luchar, optar, preguntar*, etc.

- *Está muy nerviosa. **Se preocupa por** todo.*
- *Muchas ONG **luchan por** el bienestar de las personas.*

Locuciones preposicionales

Hay muchas expresiones fijas formadas por una preposición y un nombre. El sentido de algunas de ellas es figurado y hay que buscar su significado en los diccionarios.

***a** máquina* ***por** correo* ***de** rodillas* ***a** cántaros*
***de** memoria* ***por** los codos* ***por** casualidad*

- *Hoy está lloviendo **a cántaros** (mucho).*
- *Mis hijos aprenden todo **de memoria**.*

1 **A** se usa para expresar:

Destino:

- *Este tren no va* ***a Sevilla****.*

Hora:

- *Llegaré* ***a las 10****.*

Objetivo / finalidad / complemento indirecto:

- *Voy* ***a ver*** *el partido de tenis.*
- *¿****A*** *usted le gusta el tenis?*

Complemento directo de persona:

- *El embajador no pudo recibir* ***a los invitados****.*

Precio / fecha / distancia / temperatura, con el verbo *estar*:

- *¿****A cuánt****o están hoy las naranjas?*
- *Hoy estamos* ***a 23 de septiembre****.*
- *Barcelona está* ***a 650 km*** *de Madrid.*
- *¡Qué calor!, estaremos* ***a 40 grados*** *por lo menos.*

2 **CON** se usa para expresar:

Compañía:

- *Me quedé en casa* ***con mi familia****.*

Instrumento / modo:

- *Mi hijo solo hace fotos* ***con el móvil****.*
- *Hizo los ejercicios* ***con rapidez****.*

3 **DE** se usa para expresar:

Posesión:

- *¿****De*** *quién es este libro? ¿Es* ***de Beatriz****?*

Material:

- *Se ha comprado unas botas* ***de piel****.*

Origen o procedencia:

- *Llegué ayer* ***de Cádiz****.*

Tiempo / momento del día (con las horas):

- *Trabajamos* ***de lunes a viernes****.*
- *Salimos a las 6* ***de la tarde****.*

Modo:

- *Siembre duerme* ***de lado****.*

Descripción / profesión (con estar):

- *Es una mujer* ***de ojos claros*** *y* ***de pelo rizado****.*
- *Es cocinero, pero está* ***de camarero*** *ahora.*

4 **DESDE** se usa para expresar:

Origen en el tiempo y en el espacio:

- *Viene en tren* ***desde Zaragoza****.*
- *Veraneamos en Santander* ***desde 1980****.*

5 **EN** se usa para expresar:

Lugar (ubicación):

- *Está **en** el dormitorio, **en la cama**.*

Tiempo:

- *Nació **en 1980**, **en primavera**.*

Medio de transporte:

- *Siempre vengo **en bicicleta**, es más ecológico.*

6 **HACIA** se usa para expresar:

Dirección / lugar:

- *Ha habido un incendio en tu barrio y los bomberos ya van **hacia allí**.*
- *Cuando empezó a cantar, todos se dirigieron **hacia el escenario**.*

Tiempo (no muy preciso):

- *No sé, pero creo que vi mi primera exposición de Picasso **hacia 1956**.*

7 **HASTA** se usa para expresar:

Límite en el tiempo y en el espacio:

- *Te esperaré **hasta las 5**. Luego me iré.*
- *El autobús no podrá llegar **hasta allí**.*

8 **PARA** se usa para expresar:

Objetivo / finalidad:

- *Este teléfono no sirve **para nada**, está estropeado.*
- ***Para ser ingeniero** hay que estudiar mucho.*

Dirección / lugar:

- *Ya que vas **para la cocina**, llévate esto, por favor.*

Tiempo:

- *¿Podría limpiarme este traje **para mañana**?*
- ***Para el mes que viene** tengo tres conciertos.*

9 **POR** se usa para expresar:

Causa:

- *Vamos a brindar **por el éxito** del disco.*
- *Lo han despedido del trabajo **por vago**.*

Lugar:

- *El gato debió de entrar **por la ventana**.*
- *¿Te gusta pasear **por el campo**?*

Complemento agente en la voz pasiva:

- *El concierto ha sido dirigido **por Luis Cobos**.*

Precio:

- *¡Qué barato! Me he comprado una camisa **por 6 euros**.*

1. Complete con la preposición adecuada.

a	de	con	en	por	hasta

1. *¿Te has fijado* ***en*** *el traje tan antiguo que lleva Marta?*
2. Todo el mundo dice que yo me parezco mucho ____ mi abuelo.
3. Ignacio se ha enamorado ____ su profesora.
4. Cristina es extraordinaria, entiende ____ cocina, ____ ordenadores, ____ pintura...
5. Cuando comenzó ____ llover, nos fuimos.
6. En un momento, el garaje se llenó ____ agua.
7. Para mi cumpleaños, os invitaré ____ mi fiesta ____ todos.
8. Todos los niños tienen miedo ____ los monstruos ____ los 4 años.
9. Yo me cansé ____ explicártelo todo, pero no me hiciste caso.
10. Los dos equipos lucharon duramente ____ el trofeo.
11. Confiamos ____ que todo se arregle pronto.
12. No me extraña que Juan esté enfermo, siempre ha abusado ____ las grasas.
13. No debes tener miedo ____ nada, hijo mío.
14. Juana, ha venido un hombre preguntando ____ ti.
15. Nosotros, antes, siempre íbamos ____ vacaciones ____ Cádiz.
16. La Rioja es famosa ____ sus vinos.
17. ¿Sabes ____ quién se ha casado Pedro?
18. Al final, estoy muy contento ____ haber encontrado un trabajo.
19. No te preocupes ____ Pablo. Él sabrá resolver la situación.
20. Los invitados brindaron ____ los novios.
21. Nadie se ha enterado ____ la noticia.
22. Siempre se queja ____ lo que hacen sus colegas.
23. Debemos soñar ____ cosas posibles.
24. Mi novio es biólogo, pero está ____ jardinero.
25. Tenías que haber insistido ____ hablar con ella.
26. Aunque ese chico te ha dejado, disfruta ____ lo que tienes: tus amigos, tu familia.

Aciertos: .... **de 30**

2. Complete con *por / para*.

1. *Esta crema sirve* ***para*** *protegerse del sol.*
2. ______ este camino llegaremos antes.
3. El ratón debió de entrar ______ la rendija de la puerta.

4. ______ 60 euros me compré unos pantalones y una blusa.
5. ______ mucho que trabajes, nunca te harás rico.
6. ______ llegar allí, tendrás que pasar ______ aquella parte.
7. El agua es imprescindible ______ la vida.
8. ______ Navidades iré a ver a mis padres.
9. Papá dijo que la bicicleta era ______ mí.
10. ______ ser bailarín hay que sacrificarse mucho.
11. ______ ese camino, llegarás antes.
12. Este aparato no sirve ______ nada.
13. Yo no me iría de casa de mis padres ______ nada del mundo.
14. Use lejía PLIM ______ quitar las manchas de su ropa.
15. Vino a casa ______ decirme que se divorciaba.
16. Esto te ha pasado ______ no decirme antes la verdad.
17. • ¿______ cuándo me arreglarán las gafas?
 • ______ dentro de una hora.
18. Este jamón ibérico lo reservo ______ los amigos.
19. El teléfono fue inventado ______ Bell.
20. Alguien dijo: «No hay amor más grande que dar la vida ______ un amigo».

Aciertos: .... **de 21**

3. Complete con uno de los verbos del recuadro A + una de las preposiciones del B. Observe el tiempo de los verbos.

A	atreverse hablar obligar depender despedirse insistir acostumbrarse quejarse optar soñar
B	a de por en con

1. *Los clientes vinieron a* quejarse *del mal trato recibido.*
2. Cuando me detuvo por exceso de velocidad, no ______________ protestar.
3. El libro que estoy leyendo ahora ______________ la igualdad.
4. Mi pediatra siempre ______________ la importancia de la alimentación del niño.
5. En la escuela, cuando éramos pequeños, nos ______________ estudiar de memoria todos los nombres de ríos, capitales, países, etc.
6. Yo siempre ______________ tener una casa al lado del mar.
7. Mi hijo mayor no sabía qué hacer y, al final, ______________ estudiar Matemáticas.
8. No sé qué hacer en vacaciones. ______________ mis padres.
9. Los novios se marcharon de su fiesta sin ______________ nadie.
10. Mi marido ______________ comer con poca sal cuando estuvo haciendo régimen.

Aciertos: .... **de 9**

4. **Complete con *hacia / hasta*.**

1. *¿Hasta qué hora está abierto el museo?*
2. Los bomberos ya van ______ el lugar del incendio.
3. Joaquín no llegó anoche a casa ______ las 2 de la mañana.
4. Cuando oímos el ruido, todos miramos ______ arriba, pero no vimos nada.
5. El agua no podía ir ______ arriba porque no había presión.
6. No sé, pero creo que la fiesta terminó ______ las 2 o las 3 de la mañana.
7. Eso lo entiende ______ un niño pequeño.
8. • ¿A dónde vas de vacaciones?
   • No sé, de momento vamos ______ el norte y luego ya veremos.
9. No saldrás a la calle ______ que no termines los deberes.
10. Cuando vio a su padre, fue corriendo ______ él.

Aciertos: .... de 9

5. **Complete estas preguntas con *por / de / con / en / a*.**

por de con en a

1. *¿Por quién brindamos?*
2. ¿_____ quién se ha enamorado Soledad? Está todo el día en las nubes.
3. ¿_____ qué te quejas?, tienes un buen trabajo, una casa, un coche.
4. ¿_____ qué nos vas a invitar el día de tu cumpleaños?
5. ¿_____ qué año naciste?
6. ¿_____ qué tienes miedo?
7. ¿_____ quién se casó Luis Ángel?
8. ¿_____ quién preguntaba el cartero?
9. ¿_____ qué pensabas?
10. ¿_____ qué trataba la película que visteis ayer?
11. ¿_____ dónde pasa este tren?
12. ¿_____ quién se parece tu hijo?
13. ¿_____ quién tienes miedo?
14. ¿_____ qué vas a trabajar?
15. ¿_____ quién te has despedido antes de salir?

Aciertos: .... de 14

6. **Complete con las expresiones del recuadro.**

de noche de rodillas de cerca sin rodeos en forma
de memoria de milagro a oscuras a carcajadas en paz de miedo

1. *No iré a su fiesta aunque me lo pida* ***de rodillas****.*
2. Por favor, déjame ______________, ya estoy cansado de tus mentiras.

3. No hace falta que pongas el GPS, conozco este camino __________, he venido muchas veces.
4. Ya veo que vas al gimnasio todos los días. ¡Estás __________!
5. Mi hermano, cuando hay tormenta, se muere __________
6. El accidente fue terrible, los viajeros se salvaron __________
7. Dice un refrán que «__________ todos los gatos son pardos», es decir, que, en la oscuridad, todo es igual, no se distingue nada.
8. No encendí la luz porque Luis estaba durmiendo y salí de la habitación __________
9. Estas gafas no son para la miopía, son para ver __________
10. Háblame directamente, __________
11. La obra era divertidísima, el público se reía __________

Aciertos: .... **de 10**

7. Complete el siguiente anuncio con las preposiciones adecuadas.

a (2) **al** (1) **de** (11) **del** (2)
en (5) **para** (2) **ante** (1)

INTERFLORA CONQUISTA

____ cualquier momento y ____ cualquier lugar, porque siempre hay un motivo ____ compartir alegría. Detrás ____ Interflora hay un mensaje que no conoce fronteras y acerca ____ las personas. Un mensaje que siempre será bien recibido.

Y TE INVITA A HAWÁI

Con cada envío ____ Interflora podrás participar ____ el sorteo ____ un magnífico viaje ____ Hawái ____ diez días ____ dos personas, que se celebrará ____ notario el 31 ____ enero ____ 2011.
Disfruta ____ encanto ____ las paradisíacas islas, ____ las flores y ____ las exóticas playas ____ Pacífico ____ uno ____ los hoteles más lujosos ____ Hawái. Solicita tu cupón ____ cualquier floristería Interflora ____ hacer el encargo.

Aciertos: .... **de 24**

TEMA 7 TOTAL aciertos: .... **de 117**

Tema 8

EL FUTURO COMPUESTO

El futuro compuesto

Se forma con el futuro simple del verbo *haber* + el participio pasado

Futuro de *haber*	Participio pasado
habré	cantado / comido / subido
habrás	
habrá	
habremos	
habréis	
habrán	

USO

Futuro compuesto

1 Se usa para hablar de una acción futura, pero que estará acabada y será anterior a otra acción también futura:

- *Llegaré a casa a las 10. ¿A esa hora **habrás hecho** la cena?*
- *Dentro de tres meses ya **habrán acabado** las obras de la calle.*

Futuro simple, futuro compuesto y condicional

1 Se utilizan para formular hipótesis en el presente y en el pasado:

- *¿Has visto a la niña?*
- *No, pero **estará** arriba, en su habitación (= creo que está arriba ahora).*
- *¿Qué hora es?*
- *Son las 7 de la tarde. A estas horas Pedro ya **habrá llegado** a París (= creo que ha llegado a París ya).*
- *Ayer por la tarde llamé a Concha y no estaba en casa.*
- ***Estaría** en clase de pilates (= creo que estaba en clase ayer).*

2 Frecuentemente se usan en preguntas que no esperan una respuesta, y son suposiciones.

- *No encuentro mi cartera, ¿dónde la **habré puesto**?*
- *Ayer no vi a la vecina en todo el día, ¿dónde **estaría**?*
- *Emilio, llaman a la puerta, ¿quién **será** a estas horas?*

1. Complete según el modelo.

1. *Escribir, ellos* *habrán escrito.*
2. Recibir, ella ....
3. Abrir, yo ....
4. Leer, tú ....
5. Llevar, nosotros ....
6. Ir, usted ....
7. Empezar, él ....
8. Ver, vosotros ....
9. Llegar, yo ....
10. Estar, ellos ....

Aciertos: .... de 9

2. Escriba, como en el modelo, los planes que tiene Andrés para este año.

1. *Haré una figura de cerámica a la semana.*
   Al final del año habrá hecho cincuenta y dos figuras.
2. Nadaré 1.500 metros a la semana.
   ....
3. Ahorraré 120 euros al mes.
   ....
4. Compraré 2 discos al mes.
   ....
5. Leeré 1 libro en español al mes.
   ....

Aciertos: .... de 4

3. Transforme las preguntas directas en preguntas de hipótesis. Fíjese en los tiempos verbales.

1. *¿Qué hora es?*
   ¿Qué hora será?
2. *¿Cuánto le ha costado el coche a Juan?*
   ¿Cuánto le habrá costado el coche a Juan?
3. *¿Dónde vivió Filomeno antes de venir aquí?*
   ¿Dónde viviría Filomeno antes de venir aquí?
4. ¿Qué hace Rafa por las tardes?
   ....
5. ¿De quién es esta película tan mala?
   ....
6. ¿Dónde he puesto mis gafas?
   ....
7. ¿Para qué fue Paco a casa de Pepa?
   ....
8. ¿Quién te mandó comprar ese aparato?
   ....

9. ¿Para qué ha llamado Constancio?

10. ¿Dónde están las llaves de la puerta?

11. ¿Por qué no ha llamado Marina?

12. ¿Por qué dijo Sonia aquello?

13. ¿Quién viene a estas horas a casa?

14. No sé a quién se parece este niño tan inteligente.

15. ¿Quién le dijo a Luisa dónde vivimos?

16. ¿Cuánto cuesta esa cazadora de cuero?

17. ¿Quién me mandó a mí hacer eso?

18. ¿Cuándo ha salido el niño?, he oído la puerta.

19. ¿A qué hora llegó la vecina a casa?

20. ¿Dónde estaba mi madre ayer, cuando la llamé?

Aciertos: .... de 17

4. Formule una hipótesis según la situación.

1. • *¡Qué raro! Andrés lleva unos días sin saludarme. (enfadarse)*
   • ***No te preocupes, se habrá enfadado por algo, pero ya se le pasará.***
2. • ¡Qué raro! He llamado a mis hermanos y no contestan.
   • No te preocupes, ______________________ *(salir a comprar)*
3. • ¡Qué raro! Juan y Pepa dijeron que vendrían a comer. Son las 4 y no han llegado.
   • No te preocupes, ______________________ en la carretera. *(haber atasco)*
4. • A este actor lo conozco de toda la vida, ¿cuántos años tendrá?
   • Pues, ______________________ unos 50 años. *(tener)*
5. • El domingo no vi a M.ª Luz en la fiesta de José Ignacio.
   • ______________________ trabajo y por eso no fue. *(Tener)*
6. • ¡Qué raro! Álvaro no ha venido hoy a trabajar.
   • ______________________ que ir al médico. *(Tener)*
7. • ¿Has visto qué bien habla chino el hijo de Vicenta?
   • Sí, es verdad, ______________________ en China, porque si no... *(estar viviendo)*

Aciertos: .... de 6

TEMA 8 TOTAL aciertos: .... de 36

Tema 9

EL CONDICIONAL

Por favor, ¿**podríais** bajar el volumen? Me molesta un poco.

Acordaos de que ayer el profesor dijo que **llegaría** diez minutos más tarde.

• **Verbos regulares**

cantar	*comer*	*subir*
cantar**ía**	comer**ía**	subir**ía**
cantar**ías**	comer**ías**	subir**ías**
cantar**ía**	comer**ía**	subir**ía**
cantar**íamos**	comer**íamos**	subir**íamos**
cantar**íais**	comer**íais**	subir**íais**
cantar**ían**	comer**ían**	subir**ían**

• **Verbos irregulares**

El futuro y el condicional tienen las mismas irregularidades.

decir	**diría**	hacer	**haría**
poder	**podría**	poner	**pondría**
saber	**sabría**	salir	**saldría**
tener	**tendría**	venir	**vendría**

USO

Condicional

1 **Se usa en las oraciones condicionales, para expresar una acción cuya realización depende de una condición:**

- ***Si tuviera*** *dinero, me* ***compraría*** *un chalé.*

2 **Se utiliza para dar consejos y hacer sugerencias, o para pedir favores de manera formal:**

- *Yo, en tu lugar, no* ***me pondría*** *esa falda = Yo, (si fuera tú), no me pondría esa falda.*
- *Yo creo que* ***deberías*** *buscar un trabajo, ¿no?*
- *¿****Podrías*** *traer el periódico?, es que yo no puedo salir.*

3 **En el estilo indirecto, cuando repetimos lo que una persona dijo en futuro, tenemos que usar el condicional:**

El profesor:

- *Mañana* ***llegaré*** *diez minutos más tarde.*

Un estudiante:

- *¡Qué raro, son las 10 y el profesor no ha llegado!*

Otro estudiante:

- *Sí, bueno, ayer dijo que hoy* ***llegaría*** *diez minutos más tarde.*

Ejercicios

1. Complete con la forma verbal adecuada.

	Futuro	Condicional
1. Lavar	*lavaré*	*lavaría*
2. Hacer	harán	....
3. Recoger	....	recogería
4. Ganar	ganaré	....
5. Ser	será	....
6. Ver	....	vería
7. Poner	pondremos	....
8. Llover	lloverá	....
9. Salir	....	saldría
10. Saber	sabréis	....
11. Realizar	realizaré	....
12. Ir	....	iríamos
13. Abrir	abrirán	....
14. Echar	echaré	....
15. Llegar	....	llegaría
16. Arreglar	arreglará	....
17. Tocar	tocaremos	....
18. Emigrar	....	emigrarían

Aciertos: .... de 17

2. Dé consejos según la situación, como en el modelo.

1. *No sé si estudiar Biología o Medicina. (Biología)*
   Yo, en tu lugar, *estudiaría Biología.*
2. No sé qué hacer, siempre llego tarde a todas partes.
   (Poner una alarma en el móvil) ....
3. No sé qué ponerme para la boda de Pilar.
   (El traje azul de seda) ....
4. No sé si reservar habitación en un parador o en un hotel.
   (En un parador) ....
5. No sé qué regalarle a Juan Antonio.
   (Algo para su despacho) ....

Aciertos: .... de 4

3. Ahora haga lo mismo, pero con énfasis en la «obligación».

1. *Su amigo está tosiendo continuamente y no quiere tomar nada.*
   (Yo creo que) deberías ir al médico.
2. Van a cerrar una fábrica y despedir a 9.000 trabajadores.
   Yo creo que el gobierno ....
3. A un compañero de trabajo le duele la cabeza.
   ....
4. Su amiga está enfadada con su marido y él no ha venido a comer.
   ....
5. Los niños quieren ver la televisión, pero tienen deberes que hacer.
   ....
6. Tu hermano ha suspendido todo, y todavía no ha dicho nada a vuestros padres.
   ....

Aciertos: .... de 5

4. Todas estas personas han olvidado lo que dijeron. Recuérdeselo.

1. *«Os llamaré a las 10».*
   Tú dijiste que nos llamarías a las 10.
2. «Te invitaré a mi cumpleaños».
   Tú me dijiste que ____________________
3. «No iré a clase mañana».
   Ella me dijo que hoy ____________________
4. «Saldremos a las 7».
   Ellos dijeron que ____________________
5. «Nosotros llevaremos la bebida».
   Vosotros ____________________
6. «Yo haré la cena mañana».
   Tú dijiste ____________________
7. «Te esperaremos en la puerta del cine».
   Vosotros dijisteis que ____________________
8. «No volveré a decir mentiras».
   Tú ____________________

Aciertos: .... de 7

5. Escriba el verbo en la forma adecuada del futuro o condicional.

1. *Mi hermana pronto **tendrá** un hijo. (tener)*
2. Yo que tú le __________ y __________ las cosas. *(llamar, aclarar)*
3. El año que viene __________ cambiar de casa. Esta es pequeña. *(deber, nosotros)*
4. Si llaman a la puerta, __________ *(abrir, nosotros)*
5. Si están cansados, no __________ a la fiesta. *(venir, ellos)*
6. Carmen dijo que ellos sí __________ a casa. *(venir)*
7. Mañana, si no estoy mejor, no __________ a trabajar. *(ir)*
8. La profesora de música dijo que hoy __________ más tarde. *(llegar)*
9. Yo, en tu lugar, no __________ a ese correo. *(responder)*
10. ¿Quieres el periódico?, yo lo __________ después. *(leer)*
11. Es un traje precioso, yo que tú, me lo __________ *(comprar)*
12. Alejandro me dijo que él nunca __________ en una casa así. *(vivir)*
13. Si necesitan algo, ya nos lo __________ *(pedir)*
14. Yo creo que tú __________ tener más cuidado con lo que dices. *(deber)*
15. Sr. Fernández, no __________ comentar lo que hacemos en esta oficina. *(deber)*
16. Raquel, __________ ir a la peluquería, tienes el pelo fatal. *(deber)*
17. La Sra. Jiménez avisó de que hoy no __________ a la reunión. *(asistir)*
18. Mañana __________ el trabajo que nos queda. *(hacer, nosotros)*

Aciertos: .... de 18

TEMA 9 TOTAL aciertos: .... de 51

Tema 10

EL PRESENTE DE SUBJUNTIVO

Presente de subjuntivo

- Verbos regulares

	cantar	*comer*	*vivir*
(yo)	cant**e**	com**a**	viv**a**
(tú)	cant**es**	com**as**	viv**as**
(él, ella, usted)	cant**e**	com**a**	viv**a**
(nosotros/-as)	cant**emos**	com**amos**	viv**amos**
(vosotros/-as)	cant**éis**	com**áis**	viv**áis**
(ellos/-as, ustedes)	cant**en**	com**an**	viv**an**

- **Verbos irregulares**
  Los verbos que cambian sus vocales en presente de indicativo también lo hacen en presente de subjuntivo.

querer	*poder*	*jugar*	*volar*	*pedir*	*sentir*
qu**ie**ra	p**ue**da	j**ue**gue	v**ue**le	p**i**da	s**ie**nta
qu**ie**ras	p**ue**das	j**ue**gues	v**ue**les	p**i**das	s**ie**ntas
qu**ie**ra	p**ue**da	j**ue**gue	v**ue**le	p**i**da	s**ie**nta
queramos	podamos	juguemos	volemos	pidamos	sintamos
queráis	podáis	juguéis	voléis	pidáis	sintáis
qu**ie**ran	p**ue**dan	j**ue**guen	v**ue**len	p**i**dan	s**ie**ntan

- **Verbos irregulares solo en la primera persona.** Cuando la primera persona del presente de indicativo es irregular, esa irregularidad se repite en todas las personas del presente de subjuntivo.

Presente de indicativo	Presente de subjuntivo
pongo	pong**a**
pones	pong**as**
pone	pong**a**
ponemos	pong**amos**
ponéis	pong**áis**
ponen	pong**an**

- Verbos especialmente irregulares:

estar **esté, estés, esté, estemos, estéis, estén**
haber **haya, hayas, haya, hayamos, hayáis, hayan**
ir **vaya, vayas, vaya, vayamos, vayáis, vayan**
saber **sepa, sepas, sepa, sepamos, sepáis, sepan**
ser **sea, seas, sea, seamos, seáis, sean**

- Recuerde las reglas ortográficas del español para **c** y **g**:

acercar acer**que**, acer**ques**, etc.
llegar lle**gue**, lle**gues**, etc.
averiguar averi**güe**, averi**gües**, etc.
recoger reco**j**a, reco**j**as, etc.

Uso

El subjuntivo

1. Se utiliza para expresar inseguridad, futuro, deseo u otros sentimientos:
   - *No estoy seguro de que Elena* ***venga*** *hoy.*
   - *Cuando* ***tenga*** *tiempo, iré a verte.*

2. Se usa con ***quizás, tal vez*** para expresar posibilidad e hipótesis:
   - ***Quizás venga*** *Marisa esta tarde. Tengo ganas de verla.*
   - *El niño está llorando.* ***Tal vez tenga*** *hambre otra vez.*

3. Se usa con ***ojalá*** para expresar deseo:
   - *Blanca está enferma y tienen que operarla.*
   - *¡****Ojalá*** *no* ***sea*** *grave!*

1. Complete estos verbos regulares en la persona indicada, como en el modelo.

1. *Hablar* (yo / nosotros)	*hable*	*hablemos*
2. Estudiar (tú / ustedes)	________	________
3. Leer (ella / vosotras)	________	________
4. Comer (él / nosotras)	________	________
5. Beber (usted / ustedes)	________	________
6. Trabajar (yo / nosotros)	________	________
7. Limpiar (tú / ustedes)	________	________
8. Escribir (ella / vosotras)	________	________
9. Recibir (él / nosotras)	________	________
10. Vender (usted / ustedes)	________	________
11. Vivir (ella / vosotras)	________	________
12. Pintar (él / nosotras)	________	________

Aciertos: .... **de 11**

2. Elija la forma correcta de estos verbos irregulares, como en el modelo.

1. *Empezar (yo) empieza /* ***empiece***
2. Salir (ellas) ***salga / salgan***
3. Decir (nosotros) ***digan / digamos***
4. Hacer (yo) ***haga / hago***
5. Oír (tú) ***oiga / oigas***
6. Encontrar (vosotros) ***encuentren / encontréis***
7. Venir (tú) ***venga / vengas***
8. Poder (él) ***puedan / pueda***
9. Conocer (nosotras) ***conozcamos / conozcas***

Aciertos: .... **de 8**

3. Complete estos verbos en la persona indicada, como en el modelo.

1. *Ir*	*vaya*	________	*vayamos*	________
2. Ser	(tú)	________	(nosotros)	________
3. Estar	(él)	________	(ustedes)	________
4. Llegar	(usted)	________	(vosotros)	________
5. Volar	(yo)	________	(nosotras)	________
6. Jugar	(ella)	________	(ellas)	________
7. Recoger	(él)	________	(ellos)	________
8. Pedir	(tú)	________	(vosotras)	________
9. Tener	(usted)	________	(nosotros)	________
10. Saber	(yo)	________	(ustedes)	________
11. Poner	(ella)	________	(ellos)	________
12. Dormir	(él)	________	(nosotros)	________

Aciertos: .... **de 11**

4. **Complete con uno de los verbos del recuadro en presente de subjuntivo.**

encontrar llegar dormir dar tocar llover

1. *Esta noche necesito dormir. Ojalá duerma bien.*
2. Necesito dinero. Ojalá me ________________ la lotería.
3. Estoy buscando un trabajo. Ojalá ________________ pronto uno.
4. Estoy muy cansado. Ojalá me ________________ vacaciones pronto.
5. Mañana queremos ir a la playa y está nublado. Ojalá no ________________.
6. Es tardísimo, el tren va a salir. Ojalá (nosotros) ________________ a tiempo.

Aciertos: .... de 5

5. **Reaccione formulando una hipótesis o un deseo, según la situación.**

1. • *Emilio me ha visto por el pasillo y no me ha saludado, ¡qué raro!*
   • *(estar enfadado) Quizás esté enfadado contigo.*
2. • *Si ese hotel es muy caro, tendremos que ir a una pensión.*
   • *(ser barato) Ojalá sea barato.*
3. • ¿Tú sabes cómo es la nueva profesora?
   • (ser buena) ________________
4. • Federico viene al fútbol todos los domingos y hoy no ha venido.
   • (tener trabajo en casa) ________________
5. • Y tu novio, ¿librará este fin de semana?
   • (no tener guardia) ________________
6. • He visto a Ángela y tiene muy mala cara.
   • (estar enferma) ________________
7. • El avión de Lisboa tenía que haber llegado ya, hace media hora.
   • (llegar pronto) ________________
8. • La niña se ha despertado ya tres veces, ¿qué le pasará?
   • (tener hambre otra vez) ________________
9. • Federico se examina mañana del carné de conducir.
   • (tener suerte) ________________

Aciertos: .... de 7

6. **Exprese hipótesis en cada una de estas situaciones.**

1. El director general de su empresa quiere hablar con usted.

____

2. Ha quedado para cenar con su mejor amigo y este no llega.

____

3. El perro de su vecina desaparece de repente.

____

TEMA 10 TOTAL aciertos: .... de 42

Tema 11

EL GÉNERO DE LOS SUSTANTIVOS

Género

Masculinos	*Femeninos*
el gato, el peluquero, el escritor	la gata, la peluquera, la escritora
el libro, el piso, el zapato	la mano, la radio, la moto
el planeta, el idioma, el problema	la tierra, la lengua, la idea
el hombre, el yerno, el caballo	la mujer, la nuera, la yegua
el estudiante, el pianista	la estudiante, la pianista

1 Siempre son masculinos los nombres de personas y animales de sexo masculino y son femeninos los nombres de personas y animales de sexo femenino:

masc.: *el hombre, el caballo, el gato, el profesor*
fem.: *la mujer, la yegua, la gata, la profesora*

2 **Suelen ser femeninos:**

- Los nombres de cosas terminados en **-*a***: *la mesa, la bolsa, la casa*

  Excepciones: los nombres de origen griego que se refieren a seres inanimados: *el planeta, el tema, el idioma, el problema*

- Los nombres que terminan en **-*tad*** y **-*dad***: *la amistad, la felicidad*
- Los nombres que terminan en **-*ción*, -*sión*, -*zón***: *la canción, la pasión, la razón*
  Excepciones: *el corazón, el buzón*
- Los nombres que terminan en **-*tud***: *la juventud, la multitud*

3 **Suelen ser masculinos:**

- Los nombres de cosas que terminan en **-*o***: *el libro, el piso, el bolso*
  Excepciones: *la mano, la radio, la moto, la foto*
- Los días de la semana y los meses del año:
  - *El lunes fui a Toledo.*
  - *Agosto es muy caluroso.*

4 **Los nombres de profesiones acabados en -*ista*, -*ía* y -*ante* sirven para el masculino y el femenino. El artículo diferencia el género:**

el / la taxista *el / la policía* *el / la cantante*

5 **Antes muchos nombres de profesiones solo cambiaban de artículo en masculino y femenino: *el médico / la médico*. Actualmente se acepta también la terminación:**

el médico / la médica *el jefe / la jefa* *el juez / la jueza*

6 **Muchas veces hay formas muy distintas para el masculino y el femenino:**

el gallo / la gallina *el rey / la reina* *el príncipe / la princesa*

7 **A veces hay palabras diferentes para el masculino y para el femenino:**

el macho / la hembra *el caballo / la yegua* *el toro / la vaca* *el yerno / la nuera*

8 **Algunas veces, la misma palabra tiene significado diferente según sea su género:**

el manzano / la manzana *el pendiente / la pendiente*
(árbol) (fruto) (joya) (desnivel)

9 **Algunos sustantivos de género femenino que empiezan por -*a*, *ha*, tónicas van con los artículos el /un cuando están en singular:**

el águila / las águilas *el agua / las aguas* *un aula / unas aulas,*

pero: *Esta agua está muy fría. Doy clase en esta aula.*

Excepción: los nombres de letras (la hache)

1. Complete con el masculino o femenino.

1. *El escritor*	*la escritora*
2. El ______	la taxista
3. El ______	la estudiante
4. El juez	la ______
5. El asistente	la ______
6. El ______	la cantante
7. El artista	la ______
8. El peluquero	la ______
9. El ______	la secretaria
10. El modisto	la ______
11. El cocinero	la ______
12. El ______	la diseñadora
13. El modelo	la ______
14. El poeta	la ______
15. El ______	la técnica
16. El arquitecto	la ______
17. El abogado	la ______
18. El director	la ______

Aciertos: .... de 17

2. Complete con *el / la / los / las* y una de las palabras del recuadro.

flores color problema moto carne
juventud dolor canciones radio traje

1. *Hoy en la radio han dicho que las temperaturas van a subir otra vez.*
2. ______ que comimos el sábado estaba muy buena.
3. No me compré ______ azul porque era demasiado caro.
4. ¿Has resuelto ya ______ de Matemáticas?
5. Mi novio tuvo un accidente con ______ y está grave en el hospital.
6. ______ de hoy no piensa como nosotros cuando éramos jóvenes.
7. Tómese estas cápsulas, son muy buenas para ______ de espalda.
8. A mí nunca me ha gustado ______ rojo.
9. ______ del nuevo disco no tienen tanto ritmo como las del disco anterior.
10. ¿En qué jarrón pongo ______ que ha traído Félix?

Aciertos: .... de 9

3. Elija la opción adecuada para completar estas frases.

el cólera / la cólera	el guía / la guía	el ramo / la rama
el manzano / la manzana	el capital / la capital	el policía / la policía

1. *Enrique, ¿has comprado **la guía** para nuestro próximo viaje?*
2. Madrid es ______________ de España.
3. ¿Has visto ______________ de flores que me ha traído mi marido?
4. Cuando llegó ______________ al lugar del crimen, todo había terminado.
5. Loli, cómete ______________ de postre.
6. Recuerdo que en aquel viaje ______________ era muy simpático.
7. El jardinero ha cortado ______________ de todos los árboles del jardín.
8. La familia Valle Espino hizo su ______________ en la postguerra.
9. Los enanitos escondieron a Blancanieves para salvarla de ______________ de su madrastra.
10. Hemos tenido que cortar ______________ porque ya no daba manzanas.

Aciertos: .... de 9

4. Complete con el femenino o masculino correspondientes.

1. *alcalde*	*alcaldesa*
2. padre	__________
3. __________	actriz
4. toro	__________
5. yerno	__________
6. __________	reina
7. __________	mujer
8. príncipe	__________
9. macho	__________
10. gallo	__________
11. __________	yegua
12. león	__________

Aciertos: .... de 11

5. Escriba *el / la* delante de los siguientes nombres.

1. *el lunes*

2. ____ honor	6. ____ corazón	10. ____ idioma	14. ____ esclavitud
3. ____ mano	7. ____ planeta	11. ____ razón	15. ____ concepto
4. ____ calor	8. ____ corrupción	12. ____ foto	16. ____ buzón
5. ____ multitud	9. ____ caparazón	13. ____ felicidad	17. ____ poema

Aciertos: .... de 16

TEMA 11 TOTAL aciertos: .... de 62

Tema 12

LOS PRONOMBRES OBJETO DIRECTO E INDIRECTO

Pronombres de objeto directo (OD)

	Singular	Plural
1.ª persona	me	nos
2.ª persona	te	os
3.ª persona	lo, (le) / la	los, (les) / las

Pronombres de objeto indirecto (OI)

	Singular	Plural
1.ª persona	me	nos
2.ª persona	te	os
3.ª persona	le (se)	les (se)

Uso

Pronombres personales (sujeto y complemento sin preposición)

1 Los pronombres personales de OD y de OI sustituyen al nombre para evitar su repetición:

- *Este libro* **lo** *(el libro) he terminado de leer hoy mismo.*

2 Los pronombres personales masculinos de objeto directo para persona y cosa son *lo* y *los*:

- *Y Gerardo, ¿dónde está?* • *No sé, hace un rato* **lo** *vi en su cuarto.*

Sin embargo, está aceptado el uso de **le** y **les** cuando se trata de personas masculinas:

- *Y Gerardo, ¿dónde está?* • *No sé, hace un rato* **le** *vi en su cuarto.*

3 Los pronombres personales de objeto directo e indirecto van delante del verbo, se repiten en forma pronominal:

- *Esas naranjas* **las** *he comprado yo.*
  (OD) (OD)
- *A mi padre* **le** *han regalado un portátil.*
  (OI) (OI)

4 Si el objeto indirecto va después del verbo, suele repetirse en forma pronominal, aunque no es obligatorio:

- ¿(***Le***) has pagado ***a Pepe*** el dinero que le debías?
  (OI) (OI)

5 Los pronombres personales de objeto directo e indirecto van delante del verbo, excepto cuando el verbo va en imperativo afirmativo, infinitivo o gerundio, que van detrás:

- *¡Devuélve**selo**!*
- *¿Puedes devolvér**selo**?* • *No, estoy haciéndo**los**.*

6 Cuando coinciden los dos pronombres (OD y OI), el indirecto va en primer lugar:

- *¿Te han dado los resultados?* • *No,* **me los** *darán el viernes.*

7 Cuando al pronombre le (OI) le sigue un pronombre de OD de 3.ª persona (*lo*, *la*, *los*, *las*), el primero se convierte en *se*:

- *¿Tú* **le** *has prestado el coche a mi hermano?* • *Sí,* **se lo** *presté ayer.*
  (OI) (OI) (OD)

Verbos con *le*

1 Hay muchos verbos que funcionan como ***gustar***, es decir, van con los pronombres ***me***, ***te***, ***le***, ***nos***, ***os***, ***les***:

- *A Juan* **le** *han dado una buena noticia.*
- *¿No* **te** *importa lo que diga la gente?*
- *A nosotros no* **nos** *molesta la música muy alta.*

Ejercicios

1. Sustituya las palabras marcadas por un pronombre (*lo / la / los / le / les*). Tenga en cuenta la colocación del pronombre.

1. *No sé dónde habré puesto las tijeras.*
   No sé dónde las habré puesto.
2. Juan estaba esperando **a María**.
   ....
3. Todavía no he visto **esa película**.
   ....
4. No he traído **el libro**, se me ha olvidado.
   ....
5. He perdido **las gafas**.
   ....
6. Mis padres siempre invitan **a sus vecinos** a cenar.
   ....
7. Yo llamé **a Pepita** por la tarde.
   ....
8. Yo aconsejo **a usted** que no venda **el coche**.
   ....
9. Emilia dijo **a ellos** que no vendría.
   ....
10. El padre dio **a su hijo** un regalo.
    ....
11. El guía enseñó todo **a los turistas**.
    ....
12. ¿**A usted** gustan los toros?
    ....
13. Encontré **las llaves** del cajón de la mesita.
    ....
14. Llevé **al niño** al pediatra a las 3.
    ....
15. Regalé **a Julián** dos entradas para el teatro y no me lo agradeció.
    ....
16. Encontrarás **el restaurante** fácilmente.
    ....
17. Todavía no he leído **ese artículo**.
    ....
18. El conferenciante habló **a ellos** de las últimas corrientes filosóficas.
    ....
19. El jefe de personal preguntó **a la candidata** si tenía experiencia.
    ....
20. ¿Has escrito ya **a los de Telefónica**?
    ....

Aciertos: .... de 19

2. Complete las frases con el verbo en el tiempo adecuado y el pronombre correspondiente (*me / te / le / nos / os / les*).

1. *¿Es que a vosotros no* ***os importa*** *lo que diga la gente? (importar)*
2. ¿Qué tal Eduardo? A mí no __________ bien, es un pesado. *(caer)*
3. • ¿Quieres tomar algo?
   • No, gracias, ahora no __________ nada. *(apetecer)*
4. ¿Quién juega? ¿A quién __________ ahora tirar el dado? *(tocar)*
5. ¿Sabes que a mis padres __________ hacer una fiesta sorpresa mañana? *(hacer)*
6. ¿Qué __________ a ti el coche que me he comprado? *(parecer)*
7. ¿Te has enterado de lo que __________ a Pilar y Carlos? *(pasar)*
8. Ahora __________ a vosotros contar vuestro viaje. *(tocar)*
9. Sí, ya sé que a ti no __________ ir a esa cena, pero es importante. *(gustar)*
10. Yo creo que a Juan Luis no __________ falta más dinero. Ya tiene bastante. *(hacer)*
11. Ya veo que a ti no __________ nada de lo que digo. *(interesar)*
12. Ya solo __________ quince días para casarnos. *(quedar)*
13. Oye, ¿a ti, cuánto dinero __________? *(quedar)*
14. No te preocupes, a nosotros no __________ el coche hoy. *(hacer falta)*
15. A Julián no __________ nada para ser feliz. *(faltar)*
16. A ella __________ mucho el *piercing* de la nariz. *(doler)*
17. A ellos __________ salir por la noche. *(encantar)*
18. Mamá, estos pantalones no __________ bien y son muy feos. *(quedar)*
19. Por favor, bajad la música, a vuestro padre __________ la cabeza. *(doler)*
20. No sé, yo creo que la falda __________ fatal. *(sentar)*

Aciertos: .... de 19

3. Complete con los pronombres adecuados.

1. *Tienes el pelo larguísimo, ¿por qué no* ***te lo*** *cortas?*
2. ¿Te gustan estos cuadros? ________ ha regalado Rosa para mi cumpleaños.
3. • ¿______ has dicho a Jorge lo del banco?
   • No, todavía no ______ he contado, no he tenido tiempo.
4. ¿Conoces a María Jiménez? ____ vi el otro día en la fiesta de Pepe.
5. • ¿Cuándo podrás acompañar ____ para ir de compras?
   • No sé, mañana ____ llamo y ______ digo.
6. • ¿Qué ____ vas a regalar a Montse?
   • No sé, todavía no ____ he pensado.
7. Sara, encima de mi mesa hay un papel, ¿puedes traér______?
8. José, la leche, ¡tóma_____ , por favor!
9. • ¿_____ has explicado a los niños que no pueden salir al jardín?
   • Yo no, dí______ tú.

10.• ¡Qué camisa tan elegante! ¿Cuándo ______ has comprado?
11.• ¿Qué le ha pasado a tu padre?
• Mira, que ____ subió a una escalera, y ____ cayó de espaldas.
12. Paco, ¿ ____ has bebido todo el zumo de naranja?
13. Niños, lava ____ las manos ahora mismo.
14.• Señor Marín, ¿tiene ahí el informe que ____ pedí?
• Sí, señor, ______ traigo ahora mismo.
15.• ¿____ has pagado al portero los recibos?
• Claro, ____ pagué todos el lunes, al volver del banco.
16.• Señora Domínguez, ¿qué ____ parece el ascensor nuevo?
• ____ encanta, pero a los del primero no ____ ha gustado nada.
17.• Conchi, ¿____ has enterado de que los vecinos ____ han mudado de casa?
• No ____ extraña nada, ____ llevaban muy mal con todo el mundo.
18. ¿Cuánto ____ ha costado el ordenador nuevo (a ti)?
19. Ella nunca ____ perdonó a su madre no poder dedicar ____ al cine.
20.• Oye, ¿____ prestas el coche?
• Lo siento, no ____ tengo yo, ______ ha llevado mi marido.

Aciertos: .... **de 35**

4. Reescriba las frases con el pronombre en el lugar adecuado, como en el modelo.

1. *Valeriano vendió el piso a sus cuñados.*
Valeriano les *vendió el piso a sus cuñados.*
2. Llegamos tarde. Mejor esperad en el restaurante (a nosotros).
____
3. Di a María que escriba pronto (a mí).
____
4. Camarero, traiga un poco más de pan, por favor. (a nosotros).
____
5. Da igual si sale o no con ese chico (a sus padres).
____
6. Te voy a contar un secreto, pero no digas a nadie.
____
7. Pedro regaló a su hermano un nuevo videojuego.
____
8. Cuando era pequeño, mi padre no permitía comer dulces (a mí).
____
9. Ella fue de la fiesta porque no sentía bien.
____
10. Yo envié un correo, pero no contestaron (a ellos).
____

11. Esta película es muy mala, no vayas a ver.

____

12. A Ignacio no han dado el trabajo que pidió.

____

13. A ellos interesa que ese negocio salga adelante.

____

14. A mí no dejan salir después de las doce de la noche.

____

15. Tranquilo, ya sabes que no voy a decir nada a nadie.

____

16. La comida está lista, lleva a la mesa.

____

17. Cuando era pequeña, su abuela siempre hacía paella los domingos. (a ella).

____

18. Ella dejó los informes sobre la mesa (a su jefa).

____

19. Este trabajo es muy aburrido, no digas a nadie.

____

20. A mi hermana no han llamado para la entrevista.

____

Aciertos: .... de 19

5. Complete estos textos con un pronombre, de forma que tengan sentido.

- Aquella noche ____ dije a mi padre que necesitaba leer. Mi padre ____ escuchó, ____ dijo que bueno y al día siguiente llamó al profesor para preguntar____ qué libros ____ convenían. El profesor hizo una lista y ____ ____ entregó a mi padre, que inmediatamente compró los tres primeros. El primero no ____ interesó especialmente, pero ______ leí entero. Cuando mi padre ____ preguntó si me había gustado, ____ contesté que sí.

- Aquella tarde estábamos juntos Ricardo y ____, cuando pasó don Benito. Al ver____, ____ acercó. Yo ____ presenté a mi amigo y este ____ dio la mano. Don Benito accedió a sentar____ con nosotros para charlar. ____ dijo que ____ gustaba mucho la poesía y que pronto saldría a la calle un libro suyo. «Vengan, ____ invito a café», dijo, y ____ llevó al bar.

Aciertos: .... de 21

TEMA 12 TOTAL aciertos: .... de 113

Tema 13

EL ESTILO INDIRECTO (I)

Verbos de información + *que* + indicativo		
Estilo directo (Indicativo)	Verbo introductor	Estilo indirecto (Indicativo)
Presente / pasado Futuro	Presente / Pret. perf. compuesto	Presente / pasado Futuro
Presente Pret. perf. compuesto Pret. perf. simple Pret. imperfecto Futuro	Pret. perf. compuesto / pret. imperfecto / pret. perf. simple / pret. pluscuamp.	Pret. imperfecto Pret. plusc. / perf. simple Pret. plusc. / perf. simple Pret. imperfecto Condicional

En el estilo indirecto la persona que habla reproduce o transmite el mensaje de otra persona con algunos cambios.

1

Estilo directo	Estilo indirecto
Él dice/ha dicho:	Él dice/ha dicho/que...
«Mañana va a llover / lloverá».	*... mañana* ***va*** *a llover / lloverá.*
«He ido al médico».	*...* ***ha ido*** *al médico.*
Él ha dicho/dijo/había dicho/decía:	Él ha dicho/dijo/había dicho/decía/que...
«Estoy cansado».	*...* ***estaba*** *cansado.*
«No he terminado el informe».	*...* ***no había terminado*** *el informe.*
«Estoy estudiando francés».	*...* ***estaba estudiando*** *francés.*
«Voy a ver a Elena».	*...* ***iba a ver*** *a Elena.*
«Te llamé por teléfono».	*...* ***me había llamado/llamó*** *por teléfono.*
«Os ayudaré».	*...* ***nos ayudaría.***

2 Cuando el verbo introductor está en perfecto compuesto -*ha dicho*-, el tiempo del estilo indirecto puede ser el mismo del estilo directo o puede cambiar:

- *Juan: «Esta tarde os* ***llamaré****».*
- *Luis: He visto a Juan y* ***me ha dicho que*** *nos* ***llamará / llamaría*** *esta tarde.*

3 Las oraciones enunciativas en estilo indirecto van introducidas por un verbo de habla (*decir*, *creer*, etc.) seguido de la conjunción ***que***:

- *María: Hoy he ido al médico.*
- *María* ***ha dicho que*** *hoy ha ido al médico.*

4 Cuando el verbo introductor es *preguntar* o *responder*, el estilo indirecto sigue las mismas reglas que con *decir*:

Estilo directo:
- *¿Cómo te llamas y de dónde eres?*
- *Me llamo Peter y soy de Berlín.*

Estilo indirecto: *Le* ***preguntó cómo se llamaba*** *y* ***de dónde era****. Él le respondió que se llamaba Peter y que era de Berlín.*

Pero cuando la respuesta a la pregunta es *sí* o *no*, en estilo indirecto se introducen con la conjunción ***si***:

- *Carlos: ¿Salimos a cenar?*
- *Carlos preguntó* ***si*** *salían a cenar.*

5 Otros cambios que se producen en el estilo indirecto:

Los posesivos, demostrativos y adverbios de tiempo o lugar:

- *Juan: ¿Dónde está tu hermana Ana? La llamaré* ***mañana****.*
- *Juan me preguntó dónde estaba mi hermana Ana y me dijo que la llamaría* ***hoy****.*
- *Carmen: Me gusta mucho* ***este*** *cuadro.*
- *Carmen dijo que le gustaba mucho* ***ese*** *cuadro.*
- *Lola: Ya no vivo* ***aquí.*** *He cambiado de barrio.*
- *Lola dijo que ya no vivía* ***allí****, que había cambiado de barrio.*

Ejercicios

1. Imagine que ayer se encontró con una amiga, Ana, que le contó un montón de cosas.

1. Voy a cambiar de trabajo, estoy harta de mi jefe.
2. Este año vamos a ir de vacaciones a Marbella.
3. Mi hermano menor no quiere estudiar en la universidad.
4. Estoy cansada de hacer todos los días lo mismo.
5. Pepe tuvo un accidente con la moto.
6. Mi marido quiere comprar otro coche.
7. A mí sí me gusta ir a esquiar en invierno.
8. Estoy haciendo un cursillo de Informática.
9. A mí no me parece caro el piso de Jorge.

Ahora imagine que se encuentra con otro amigo. Explíquele lo que le contó ayer Ana.

1. *Ana me contó que iba a cambiar de trabajo porque estaba harta de su jefe.*
2. ....
3. ....
4. ....
5. ....
6. ....
7. ....
8. ....
9. ....

Aciertos: .... de 8

2. Transforme en estilo indirecto.

1. *«Mañana os llamaré».* *Él dijo que hoy nos llamaría.*
2. «Mañana saldré de casa a las 7».
   Ella dijo que ....
3. «Iremos a buscaros al aeropuerto».
   Ellos dijeron que ....
4. «No iré a la reunión».
   El Sr. Martínez dijo que ....
5. «Te compraremos otra bicicleta para Reyes».
   Vosotros me dijisteis que ....
6. «Yo pondré la lavadora todas las semanas».
   Tú dijiste que ....

7. «Te esperaré en esa cafetería».
   Tú dijiste que ....
8. «No volveré a hablar contigo de eso».
   Ella dijo que ....
9. «Lo pensaré».
   Usted me había dicho que ....
10. «Yo me ocuparé de todo».
    Él decía que ....

Aciertos: .... de 9

3. Transforme en estilo indirecto.

1. *Ella nos dijo: «Nos casamos hace 12 años».*
   Ella nos dijo que se habían casado hacía 12 años.
2. Ellos me dijeron: «Este verano hemos estado de vacaciones en Cancún».
   ....
3. Él comentó: «Antes ganaba más dinero que ahora».
   ....
4. Ellos dijeron: «Este año nos hemos comprado un chalé, porque nos gusta la tranquilidad».
   ....
5. Él le dijo: «No he visto a Magdalena desde hace un año».
   ....
6. Ella comentó: «Yo quería ir a Viena, pero Javier no, y al final fuimos a París».
   ....
7. El guía nos dijo: «Esta catedral fue construida en el siglo XVII».
   ....
8. El médico me dijo: «Tiene que operarse cuanto antes».
   ....
9. Él me dijo: «Si no puedo ir a buscarte hoy, te llamaré», pero no ha llamado.
   ....
10. Tú me dijiste: «Si tú no tienes tiempo mañana, yo compraré las entradas».
    ....
11. Ella me contó: «Yo siempre he ido de vacaciones a hoteles de lujo».
    ....
12. Él me dijo: «Yo antes jugaba muy bien al baloncesto».
    ....
13. Ellos dijeron: «Encarna va a tener otro niño».
    ....
14. El hombre del tiempo dijo ayer: «Mañana lloverá».
    ....

Aciertos: .... de 13

4. Ayer Javier fue a una entrevista de trabajo y le hicieron estas preguntas.

¿Dónde ha estudiado?
¿Dónde trabaja actualmente?
¿Por qué quiere cambiar de trabajo?
¿Tiene experiencia en este tipo de trabajo? ¿A qué se dedica en su tiempo libre? ¿Le gusta viajar?
¿Cuántos idiomas habla?

Hoy Javier le cuenta a un compañero lo que le preguntaron.

Me preguntaron dónde .... y dónde .... ahora. También por qué .... cambiar de trabajo. Luego me preguntaron si .... experiencia en ese tipo de trabajo y a qué .... en mi tiempo libre y si .... viajar. Al final me preguntaron .... idiomas ....

Aciertos: .... **de 8**

5. Transforme las siguientes frases en estilo directo.

1. *Él me dijo que el jueves había ido al cine.*
   «El jueves fui al cine».
2. Nos preguntó si teníamos su billetera.

   ____
3. Me contó que iba a hacer un viaje a Chile este año.

   ____
4. Me dijo que su hermana estaba casada con un jugador de fútbol.

   ____
5. Me preguntó cuánto me había costado el apartamento de la playa.

   ____

6. Nos explicó que no había venido a vernos porque su padre estaba enfermo.

____

7. Me preguntó quién me había dicho lo de su ascenso.

____

8. Mi jefe me preguntó cuándo tendría acabado el proyecto.

____

9. Yo le contesté al juez que el día del robo había salido de mi casa a las 8 y cuarto de la mañana y había vuelto a las 7 de la tarde.

____

10. Me explicaron que habían visitado la casa museo de Sorolla.

____

11. Nos dijeron que ya no había plazas libres y que volviéramos otro día.

____

12. Le dijeron que le regalaban 20 GB si contrataba la nueva tarifa.

____

13. Nos preguntaron si queríamos salir a correr con ellos.

____

14. El camarero nos preguntó si habíamos probado el cocido madrileño.

____

Aciertos: .... de 13

6. Complete con el verbo en la forma adecuada.

1. *Álvaro me llamó para salir y le dije que lo pensaría (pensar).*
2. Alejandro le dijo a su novia que la boda __________ fantástica. *(ser)*
3. Sí, llamé a Ana M.ª, pero me dijo que no __________ venir, porque __________ muchas cosas que hacer. *(poder, tener)*
4. El policía me preguntó dónde __________ y qué __________ en la playa y yo le contesté que __________ *(vivir, hacer, perderse)*
5. Elena me dijo que hoy no __________ a comer porque __________ muy ocupada en la oficina. *(venir, estar)*
6. Me encontré a José Luis en el banco y me contó que __________ de su mujer porque ella ya no __________. *(separarse, querer)*
7. Pues a mí me habían dicho que este restaurante __________ muy bueno y que no __________ nada caro. *(ser, ser)*
8. Miguel le preguntó a Adrián cuánto __________ y Adrián, muy enfadado, le contestó que no le __________. *(ganar, importar)*
9. • Le pregunté a Soledad dónde __________ de vacaciones el verano anterior y me dijo que __________ a Canarias con sus hermanos. *(estar, ir)*
   • ¿Sí? Pues a mí me contó que __________ a Baleares con su pareja. *(ir)*

Aciertos: .... de 17

TEMA 13 TOTAL aciertos: .... de 68

Tema 14

LOS ARTÍCULOS

Los artículos

		Determinados			Indeterminados	
		Género			Género	
		Masc.	Fem.	Neutro	Masc.	Fem.
Número	Singular	el	la	lo	un	una
	Plural	los	las		unos	unas

Artículos determinados

1 Se usan cuando hablamos de algo que conocemos o que queremos concretar:

- *Dame **el** libro de español.*
- *Pásame **el** azúcar.*

2 Con los días de la semana y las horas:

- ***Los lunes**, a **las siete**, voy a clase de pintura.*

3 Delante de ***señor***, ***señora*** y ***señorita*** si se mencionan en tercera persona:

- *Buenos días, ¿está **la señorita** Romero?*

Excepción: *¡Señorita Romero!, ¿puede venir, por favor?*

4 Cuando hablamos de cosas únicas:

- ***La** Luna, **la** Tierra, **el** presidente, **la** vida.*

5 Con el verbo ***gustar*** y otros de similar significado:

- *A mí **me gustan** mucho **los** bailes de salón.*
- *Pues yo **prefiero los** bailes regionales.*

6 Con los nombres abstractos:

- ***La felicidad** total no existe.*

7 Cuando queremos referirnos a todas las cosas incluidas en el término que mencionamos.

- *Nos gusta **la música**,* (nos referimos a la música en general.)

8 Observe la oposición: con artículo / sin artículo:

- *Juan, saca **el dinero** del banco (= todo el dinero que tiene en el banco).*
- *Juan, saca **dinero** del banco (= una cierta cantidad de dinero).*

Artículos determinados con nombres propios

1 En general, los nombres propios no llevan artículo: **Valencia, París, Alemania, Pablo.**

Excepciones: ***La** India, **La** Coruña, **La** Rioja, **El** Escorial, **El** Cairo.*

2 Se usan delante de ***río***, ***calle***, ***monte***, ***sierra***, ***mar***, ***islas***, etc., cuando van con el nombre propio:

- ***El río Manzanares** pasa por Madrid.*
- ***La calle San Benito** es muy larga.*

3 También se usa si omitimos las palabras ***río***, ***monte***, ***mar***, etc.:

- ***El Tajo** pasa por Toledo.*
- ***Las Baleares** están en el Mediterráneo.*

USO

Artículos indeterminados

1 Se usan cuando mencionamos algo por primera vez:

- *He visto **unos** muebles antiguos muy bonitos.*

2 Con el verbo ***haber***:

- *Mira, **hay una parada** de autobús.*

3 Con nombres de profesión:

- *Me atendió **una enfermera** muy amable.*

4 Cuando hablamos de cosas conocidas por todos, pero no queremos especificar:

- *El fin de semana fuimos a casa de **unos amigos**.*
- *He comprado **unas manzanas** y **unas peras**.*

  Pero también se puede decir: *He comprado manzanas y peras.*

No se usa artículo en sentido genérico

1 Con nombres de profesiones:

- *Ella es periodista.*

2 Con nombres en función de objeto directo, cuando se refiere a algo general:

- *¿Tienes **coche**?*
- *Ella nunca **come carne**.*

Artículo neutro *lo*

El artículo neutro ***lo*** convierte en un nombre la palabra o frase a la que precede.

1 Se usa delante de un adjetivo:

- ***Lo importante** es que tú seas feliz.*

2 Delante de un adverbio:

- *No sabes **lo bien** que está mi abuelo.*

3 En las oraciones de relativo:

- *No se me ha olvidado **lo que dijiste**.*

4 Para referirse a algo conocido por el interlocutor sin nombrarlo exactamente. *Lo de* + un nombre equivale a «el asunto de» + un nombre:

- *Ayer estuvimos más de una hora hablando de **lo de Aurora**.*

1. Complete las frases con *el* / *la* / *los* / *las* o Ø si no se necesita artículo.

1. *Cristina tiene* el *pelo largo y* los *ojos muy grandes.*
2. Hoy he tenido ______ problemas con ______ coche, no funciona.
3. Hoy ______ plátanos están carísimos.
4. ______ moscas son unos insectos bastante pesados.
5. A nosotros nos gustan mucho ______ castañas asadas.
6. No es bueno que ______ niños vean mucho ______ tele.
7. ¿Tienen ______ pescado fresco?
8. Álvaro tiene ______ problemas típicos de ______ adolescentes.
9. ¿Habéis traído ______ coche?
10. ¿Tú sabes ______ teléfono de Purificación García?
11. Yo no escucho nunca ______ radio. Prefiero Internet.
12. ¿A qué hora es ______ cena?
13. ______ vida en este país es muy difícil.
14. ______ Tierra da vueltas alrededor de ______ Sol.
15. Amalia tiene pánico de ______ perros.
16. A ella le gusta mucho trabajar con ______ manos.
17. En general, ______ abogados ganan más que ______ médicos.
18. Nunca bebe ______ alcohol.
19. Todos los días escucho ______ música clásica.
20. Él dice que ______ matemáticas son muy difíciles.
21. Estuvo cinco años trabajando en ______ restaurante de su familia.
22. ¿Por qué no han ido hoy ______ niños a ______ colegio?
23. El profesor no ha venido hoy a ______ clase.
24. ______ señor Rodríguez, le presento a ______ señora Herrero.

Aciertos: .... de 30

2. Complete las frases con *un* / *una* / *unos* / *unas* o Ø si no se necesita artículo.

1. *¿Te gustaría ser Ø bombero?*
2. ¿Qué llevas en ______ bolsa?
3. Este fin de semana he estado en ______ Coruña con ______ amigos.
4. Estoy desesperado, no tengo ______ dinero, no tengo ______ trabajo, no tengo ______ amigos y no tengo ______ pareja.
5. Él siempre le regala ______ ramo de flores por su cumpleaños.
6. Tienes ______ hijos encantadores.
7. ¿Tienes ______ hijos?
8. ¿Tienes patatas para hacer ______ tortilla?
9. Luisa es ______ chica rara, no sale nunca.

10. Me han dicho que en ese cine ponen ______ películas muy buenas.
11. Si quieres ir a ese país, necesitas ______ visado especial.
12. Para ir a Brasil no necesitas ______ abrigo.
13. Yo conozco a ______ chico que es ______ futbolista.
14. Si necesitas ______ buen mecánico, yo te puedo recomendar uno.
15. Los padres de mi mujer eran ______ profesores.
16. El novio de mi hermana es ______ mecánico.
17. Cuando Ángel fue a la universidad, tuvo ______ profesores magníficos.
18. Cuando Rocío era ______ niña, no le gustaban las muñecas.
19. En ese piso vive ______ familia rarísima.
20. Lo siento, aquí no hay ______ calamares.

Aciertos: .... **de 24**

3. Diga si las frases siguientes son correctas o no. Corrija las que no lo son.

1. *Everest es el pico más alto del mundo. MAL*
   El Everest es el pico más alto del mundo.
2. *La Coruña está en Galicia. BIEN*
3. Santander está en norte de España.
   ____
4. Río Tajo desemboca en Lisboa.
   ____
5. Las islas Canarias son preciosas.
   ____
6. Mar Mediterráneo no tiene muchos peces.
   ____
7. Al otro lado de estrecho de Gibraltar está África.
   ____
8. La Andalucía tiene muchas horas de sol.
   ____
9. La Mancha tiene queso y vino.
   ____
10. Ernesto está esquiando en Pirineos.
   ____
11. En el norte de Europa el clima es frío.
   ____
12. El Ebro es el río más largo de España.
   ____

Aciertos: .... **de 10**

4. Subraye la opción adecuada.

1. *Lo / El que no entiendo es por qué quieres estudiar lo / el mismo que lo / el año pasado.*
2. Nadie sabe qué es *el / lo* mejor en la vida.
3. ¿Le has dicho ya a tu hermano *el / lo* de la herencia?
4. ¿Quién es *el / lo* de la chaqueta gris?
5. ¿Qué es *el / lo* que te dijo ayer el director? Estabas muy nervioso.
6. No podemos ir andando, ¿tú sabes *el / lo* lejos que está eso?
7. ¿Quién fue *el / lo* que te dijo que tú podías ser actriz?
8. No te preocupes por *el / lo* coche. *El / Lo* importante es que te recuperes.
9. ¿Te has enterado ya de *el / lo* que les ha pasado a los del sexto?
10. ¿Te has enterado de *el / lo* de Rosa y Paco?
11. Aquí hay varios libros, ¿cuál es *el / lo* de Rosa?

Aciertos: .... de 10

5. Escriba, si son necesarios, los artículos (determinado o indeterminado). Hay más de una posibilidad.

1. *Anoche él tenía Ø sueño, pero no tenía Ø ganas de dormir.*
2. En ____ cena de Gema comimos ____ jamón y ____ lomo.
3. ¿Te apetece ____ café?
4. ¿Tienes ____ servilleta? Acabo de tirar ____ café que me has puesto.
5. ¿Quieres ____ hielo para ____ bebida?
6. ____ servicio en este restaurante no es tan bueno como antes.
7. ¿Has visto a ____ mensajero? Estoy esperando ____ paquete.
8. ____ paquete que me envió mi madre contenía ____ chorizo.
9. Hay gente que dice que este país necesita ____ gobierno con ____ líder fuerte.
10. Mira, ese niño tiene ____ ojos preciosos.
11. ¿Te acordarás de comprar ____ naranjas?
12. ¿Qué va a hacer ____ Gobierno para acabar con ____ desempleo?
13. Él ingresó en ____ Ejército porque le gustaba ____ disciplina.
14. «Haz ____ amor, no ____ guerra».
15. ____ señor García es ____ cuñado de ____ señora Pérez.
16. Iré a tu casa ____ lunes por ____ tarde.

Aciertos: .... de 28

TEMA 14 TOTAL aciertos: .... de 102

Tema 15

LOS COMPARATIVOS Y SUPERLATIVOS

La comparación

- **De los adjetivos**

*María no es **tan** alta **como** su hermana.*

Comparativos regulares				
más	+	adjetivo	+	**que**
menos	+	adjetivo	+	**que**
tan	+	adjetivo	+	**como**

*Pedro **es mayor** que tu hermano Luis.*

Comparativos irregulares				
bueno, -a, -os, -as	→	**mejor, mejores**	+	que
malo, -a, -os, -as	→	**peor, peores**	+	que
grande, -es	→	**mayor, mayores**	+	que
pequeño, -a, -os, -as	→	**menor, menores**	+	que

- **De los sustantivos**

*Ellos tienen **tantos** hijos **como** nosotros.*

Verbo	+	**más**	+	sustantivo	+	que
Verbo	+	**menos**	+	sustantivo	+	que
Verbo	+	**tanto/-a/-os/-as**	+	sustantivo	+	como

- **De los adverbios**

*Mi hijo estudia **tanto como** el tuyo.*

Verbo	+	**más que**
Verbo	+	**menos que**
Verbo	+	**tanto como**

- **Irregulares**

*Este trabajo está **mejor** que el mío.*

bien	mejor
mal	peor

Los superlativos

Absoluto

Se forma con ***muy*** más el adjetivo. A veces los adjetivos muy largos pueden utilizar dos formas: ***muy / -ísimo/a***.

- *El niño de los vecinos es **muy malo**.*
- *Esta noticia es **muy importante / importantísima**.*

Relativo

Se forma con ***el / la / los / las*** + ***más / menos*** + adjetivo + ***de / que***.

- *Tu regalo es **el más bonito de todos**.*
- *Tu regalo es **el más bonito** que he recibido.*

Comparativos

1 **Se utiliza la preposición *de* para introducir la segunda parte de la comparación:**

- Cuando hablamos de una cantidad determinada:
  - *Ese coche le ha costado **más de 12000** euros.*
- Cuando usamos un adjetivo y la frase que sigue empieza por ***lo que***:
  - *Este ejercicio es **más difícil de lo que** yo pensaba.*
- Cuando usamos un nombre y comparamos cantidades, sea con un número exacto o no:
  - *Ernesto siempre compra **más bolígrafos de** los que necesita.*
  - *Al final gastamos **más dinero del** que pensábamos.*

2 **Existen adjetivos comparativos irregulares: *superior, inferior, anterior* y *posterior*, que han perdido en parte su valor de comparación:**

- *El número de parados es **superior a** tres millones de personas.*

Superlativos

1 **El superlativo absoluto destaca una característica del sujeto, sin compararlo con otros. Se forma añadiendo *-ísimo* a la raíz del adjetivo o del adverbio:**

- *El niño de los vecinos es **malísimo**.*
- *Esa librería que dices está **cerquísima**.*

Algunos son irregulares: ***antiguo, antiquísimo***

2 **El superlativo relativo destaca una característica del sujeto, comparándolo con los demás de su mismo grupo o categoría:**

- *Joaquín es **el más** listo **de** su clase.*
- *Es **la** persona **más** amable **que** he conocido en mi vida.*

1. Complete las frases con los elementos de los recuadros.

tan / tanto / tanta / tantos / tantas

partidos libros galletas vago cara
incómodo difícil inteligente nerviosa calor

1. *En Madrid, en verano, no hace* tanto calor *como yo pensaba.*
2. Nunca había visto un sofá ______________ como este.
3. Ana M.ª no es ______________ como ella piensa.
4. Yo creo que el equipo de Andrés no ha ganado ______________ como él dice.
5. Espero que trabajes más y no seas ______________ como tu hermano.
6. Hoy no estoy ______________ como la última vez que me examiné.
7. Al final, la comida no ha salido ______________ como yo pensaba.
8. El examen de Filosofía no fue ______________ como esperábamos.
9. A mí me parece que tú has comido ______________ como yo.
10. No creo que hayas leído ______________ como dices.

Aciertos: .... de 9

2. Escriba las formas correspondientes del superlativo.

1. *Encontrar algo en este mapa es dificilísimo.*
2. La comida te ha salido ______________ *(buena)*
3. Ella trabaja ______________ *(poco)*
4. Las pirámides de Egipto son ______________ *(antiguas)*
5. Julita se casó con un chico ______________ *(rico)*
6. Juanjo se ha comprado una casa ______________ *(grande)*
7. Este artículo no es breve, es ______________ *(breve)*
8. Ella dice que sus hijos son ______________ *(inteligentes)*
9. Pero ¡qué ______________ es este niño! *(guapo)*
10. Este ejercicio es ______________, ¿no? *(fácil)*

Aciertos: .... de 9

3. Complete las frases con *de* o *que*.

1. *Este bolso es más caro que el* que *me regaló mi marido.*
2. *El hotel es más barato* de *lo que yo pensaba.*
3. Madrid tiene más ______ tres millones de habitantes.
4. Santiago y Sonia son más simpáticos ______ lo que parecen.
5. Esperaba que viniera más gente ______ la que vino.
6. Lo compré por menos ______ 30 euros.
7. Confía en su médico más ______ lo que debe.
8. Estos niños tienen más juguetes ______ los que necesitan.
9. Encontrar un trabajo es más difícil ______ estudiar una carrera.

Ejercicios

10. Yo vivo un poco más cerca ______ tú de la escuela.
11. Es una secretaria más amable ______ eficaz.
12. Este icono es más antiguo ______ el que vimos ayer.
13. En clase no se admiten más ______ 30 alumnos.
14. El regalo de Pedro cuesta más ______ 20 euros.
15. Esta película es mucho peor ______ la otra.

Aciertos: .... de 13

4. Complete las frases con los comparativos del recuadro.

peores	mejor (2)	peor (2)	mejores	mayor	menor

1. *Los calamares del otro día eran malos, pero estos son* peores.
2. • ¿Y tu madre, ya está bien?
   • Sí, está ____________, gracias.
3. ¿No tienen unos zapatos ____________ que estos para la boda?
4. Mi padre es el ____________ de sus hermanos, por eso empezó a trabajar muy pronto.
5. Esta niña cada vez va ____________ en el colegio. Otra vez ha suspendido.
6. Para ver ____________, ponte las gafas.
7. A veces dicen que «es ____________ el remedio que la enfermedad».
8. Soledad era ____________ que yo y por eso estaba en un curso anterior al mío.

Aciertos: .... de 7

5. Transforme las frases como en el modelo.

1. *Yo nunca había conocido a un chico tan pesado.*
   Es el chico más pesado que he conocido (en mi vida).
2. Yo nunca había visto un pez tan grande.
   ____
3. Yo nunca había oído una canción tan bonita.
   ____
4. Yo nunca había conocido a una mujer tan cariñosa.
   ____
5. Yo nunca había probado una moto tan rápida.
   ____
6. Yo nunca había leído un libro tan malo.
   ____
7. Yo nunca había conocido a unas personas tan encantadoras.
   ____

Aciertos: .... de 6

6. Con estos elementos forme frases con los comparativos y superlativos que le indicamos.

1. *elefante león jirafa mono*
   (menos... que) *La jirafa es menos ágil que el mono.*
   (más... que) *El mono es más inteligente que el elefante.*
   (el/la más... de) *El elefante es el más grande de los cuatro.*
   (tan... como) *El león no es tan alto como la jirafa.*

2. uvas naranjas limones piña
   (menos... que) ....
   (más... que) ....
   (mejor/es que) ....
   (tantos/as... como) ....

3. Rolls Royce Mercedes Volvo Porsche
   (mejor... que) ....
   (tanto como) ....
   (el más/menos... que) ....
   (-ísimo) ....

4. Madrid México París Buenos Aires
   (mayor que) ....
   (menos... que) ....
   (tan... como) ....
   (tantos/as... como) ....

5. tortilla paellla jamón aceite
   (-ísimo/a) ....
   (más... que) ....
   (tan... como) ....
   (tanto como) ....

6. natación ciclismo fútbol esquí
   (menos... que) ....
   (el más/menos... de) ....
   (muy) ....
   (tanto como) ....

TEMA 15 TOTAL aciertos: .... de 44

Tema 16

SER Y ESTAR

Los verbos *ser* y *estar* con adjetivos y adverbios:

Van con *ser*		Van con *estar*	
lógico	inocente	de buen / mal humor	preocupado
(in)justo	alegre	enamorado	prohibido
importante	egoísta	enfadado	roto
increíble	inteligente	contento	vacío
conveniente	optimista	cansado	lleno
(in)necesario	culpable	enfermo	bien / mal / fatal
(in)útil	trabajador	harto	

Pueden ir con *ser* / *estar*			
nervioso	tranquilo	abierto	listo
bueno	malo	mejor	despierto
grave	aburrido	fresco	(in)seguro
joven	peor	(in)maduro	rico

Ser

1. Se usa para definir e identificar a personas y cosas:
   - *Felipe* ***es alto / simpático / español / abogado / rico.***
   - ***Es el marido de Luisa.***
   - *Esta mesa es* ***de madera / moderna / grande / de Mercedes.***

2. Para informar del lugar y la fecha de una celebración:
   - *¿Sabes* ***dónde es*** *el banquete de la boda?*
   - *La reunión* ***es en la sala grande****.*
   - *El concierto* ***será en abril****.*

3. Para hablar del tiempo:
   - *Hoy* ***es martes.***
   - ***Son las siete.***
   - ***Es muy tarde.***

Estar

1. Se usa para hablar del estado de ánimo de las personas o del estado de las cosas:
   - *Ricardo hoy* ***está de buen humor*** *porque ha ganado su equipo.*
   - *Esta chaqueta* ***está sucia****. Hay que lavarla ya.*

2. Para hablar del lugar:
   - *¿****Dónde está*** *mi agenda?*

3. Para hablar del tiempo:
   - *Ya* ***estamos a 25 de mayo****, cómo pasa el tiempo.*
   - *Y pronto* ***estaremos en verano****.*

4. Con bien / mal / fatal / cerca / lejos:
   - *Eso que haces no* ***está bien****.*

Ser / Estar

1. Con el mismo adjetivo, usamos *estar* para hablar de algo pasajero y *ser* para hablar de una cualidad:
   - *Carlos* ***es*** *un chico* ***muy nervioso****.*
   - *Carlos* ***está*** *hoy* ***muy nervioso****, no sé por qué.*

2. A veces el adjetivo cambia de significado si se usa con un verbo u otro:
   - *Carlos* ***es*** *un niño muy* ***listo*** (= inteligente).
   - *Carlos, ¿****estás listo*** *para salir?* (= preparado).

1. Decida si estos adjetivos van con *ser* o *estar*. Después, escriba una frase, como en el modelo.

1. *amable (ser): Ella dice que su jefe es muy amable.*
2. harto ( ): ....
3. increíble ( ): ....
4. culpable ( ): ....
5. prohibido ( ): ....
6. disgustado ( ): ....
7. inútil ( ): ....
8. trabajador ( ): ....
9. cansado ( ): ....
10. vacía ( ): ....

Aciertos: .... de 9

2. Elija la opción adecuada.

1. *Quiero **ser** economista, como mi abuela, pero **es** muy difícil.*
2. ¿Sabes dónde *es/ está* la Alhambra? Me han dicho que *es / está* un poco lejos.
3. No sé si ese nuevo restaurante *es / está* cerrado. *Es / Está* un poco tarde.
4. He terminado la carrera y *soy / estoy* enfermero, pero *soy / estoy* estudiando Medicina.
5. Andrés *era / estaba* cansado de trabajar en el bufete y lo dejó. *Era / estaba* abogado. Ahora *es / está* en paro.
6. ¿*Eres / Estás* contento con el nuevo piso? Ya sé que *está / es* bien comunicado, pero *es / está* interior.
7. Mañana *es / está* su cumpleaños, pero no lo va a celebrar porque *es / está* enferma.
8. *Somos / Estamos* hartos de Merche. *Es / Está* muy egoísta.
9. ¿*Sois /Estáis* de mal humor? Pero si *es /está* primavera.
10. *Es / Está* inútil, hoy no puedo chatear con nadie. *Soy / Estoy* sin conexión a Internet.
11. *Es / Está* importante respetar las normas y aquí *es / está* prohibido comer. Puedes ir fuera.
12. *Es /está* ingresado en el hospital. No *es / está* grave, pero *es /está* prohibido visitarlo.

Aciertos: .... de 25

3. Complete con *ser* o *estar* en el tiempo adecuado.

*1. No hay prisa, **es** pronto todavía.*
2. ____________ a 19 de diciembre.
3. Anoche, cuando salimos del cine, ____________ demasiado tarde para cenar.
4. ¿Qué hora ____________?
5. Ese libro ____________ de Luis.
6. ____________ en invierno.
7. Esta mesa no ____________ de madera, ____________ de plástico.
8. Cuando terminamos el trabajo ____________ casi las 4 de la tarde.
9. Alberto ____________ biólogo, pero ____________ de camarero.
10. Fumar ____________ malo para la salud.
11. El padre de Ernesto ____________ médico y trabaja en un hospital.
12. Estos zapatos ____________ bonitos, pero me ____________ grandes.
13. Mi piso ____________ nuevo, pero ____________ sucio.
14. El coche que le trajeron los Reyes ____________ grande y rojo.
15. Eso que has hecho ____________ mal.
16. El ascensor no funciona, otra vez ____________ estropeado.
17. El coche de Estrella ____________ aparcado cerca de aquí.
18. ¿Qué día ____________ mañana?
19. La inspiración del artista ____________ en la calle.
20. Esas frases ____________ mal, no ____________ correctas.
21. Posiblemente Picasso ____________ el pintor español más conocido.
22. La verdad ____________ que no sé cuándo volveremos.
23. La camisa azul ____________ de él.
24. El doctor no puede atenderle ahora, ____________ ocupado.

Aciertos: .... de 28

4. Complete con *ser* o *estar* en el tiempo adecuado.

*1. Él ahora **está** dispuesto a trabajar este sábado.*
2. Su vida privada ____________ solo suya.
3. Todo lo que hicieron ____________ inútil.
4. Diez años ____________ mucho tiempo.
5. A estas horas, todas las tiendas ____________ cerradas.
6. El café ____________ demasiado caliente, no puedo tomármelo.
7. Se casó con una mujer que ____________ muy rica.
8. Este perfume ____________ francés.
9. El accidente que tuvieron ____________ horrible.
10. Este licor ____________ digestivo.
11. No ____________ necesario que trabajes tanto.

12. No ____________ posible hacer este ejercicio.
13. La televisión ____________ rota.
14. Señor, el acusado ____________ inocente.
15. Este vestido todavía ____________ nuevo, pero ____________ pasado de moda.
16. Este ____________ el compañero de Juan.
17. Mi madre ya no ____________ joven, pero ____________ muy bien de salud.
18. El examen del lunes ____________ difícil.
19. Esta blusa ____________ de seda auténtica.
20. Perdón, pero ____________ prohibido aparcar aquí.
21. Salir ahora a la calle ____________ horrible. Llueve muchísimo.
22. La reunión ____________ en el salón de actos.
23. No sabes lo importante que ____________ este trabajo para mí.
24. El mercado no ____________ lejos de aquí.
25. La comida familiar ____________ en el restaurante Miramar.

Aciertos: .... de 26

5. Según el significado de los adjetivos, complete las frases con *ser* o *estar*.

1. *¿Están todos listos para salir?*
2. Perdón, ¿____________ libre esta silla?
3. Estos tomates no sirven para el gazpacho, ____________ verdes.
4. Lola y Jesús ____________ buenos amigos míos.
5. Estas nueces no se pueden comer, no ____________ buenas.
6. Y tu padre, ¿qué tal? ¿ ____________ mejor?
7. Federico, de joven, ____________ un chico muy alegre.
8. ¡Qué guapo ____________ con esa chaqueta!
9. La última novela de E. Maroto ____________ mucho mejor que la otra.
10. Este *ballet* ____________ muy romántico.
11. Los electrodomésticos de antes ____________ peores que los actuales.
12. Hoy, el pescado ____________ carísimo.
13. Ayer por la tarde ____________ aburridos y fuimos a dar un paseo.
14. El profesor me ha dicho que mi hijo ____________ muy listo.
15. En esta tienda, las cosas ____________ caras, pero ____________ muy buenas, de primera calidad.
16. No ____________ bueno hacer ejercicio después de comer.
17. Él no ____________ mal chico, pero ella tiene más cualidades.
18. ¿____________ frías ya las cervezas?
19. Ve al médico, si lo dejas más tiempo, ____________ peor.
20. Ana María ____________ muy libre de salir y entrar cuando quiera.

Aciertos: .... de 20

6. Forme frases con *ser* o *estar* con los elementos de cada columna, como en el modelo.

1. Este profesor		maduros
2. El tabaco		abierta
3. Este periódico		los mejores amigos del hombre
4. La película		animada
5. Este pescado	ser	parcial
6. Los plátanos	estar	malo
7. La fiesta		aburrida
8. La ventana		soltero
9. Los perros		preocupado
10. El presidente		perjudicial
11. Nadar		sano
12. El atletismo		un deporte muy completo

1. Este profesor ***es malo.***
Este profesor ***está malo, está soltero, está preocupado, está sano.***

2. ....
....
3. ....
....
4. ....
....
5. ....
....
6. ....
....
7. ....
....
8. ....
....
9. ....
....
10. ....
....
11. ....
....
12. ....
....

Aciertos: .... **de 11**

TEMA 16 TOTAL aciertos: .... **de 119**

Tema 17

LAS ORACIONES DE RELATIVO (I)

Las oraciones de relativo
(antecedente) + ***que*** + indicativo / subjuntivo

USO

1 **Dan información sobre un elemento que aparece en la oración principal y que se llama *antecedente*:**

- *El móvil **que** compraron es de última generación.*
- *El chico **que** vino a vernos era mi hermano.*
- *Las niñas **que** estaban en casa eran mis sobrinas.*
- *La casa **que** compraron era muy cara.*

2 **Están introducidas siempre por un enlace relativo. El más usado es *que*, tanto para personas como para cosas:**

- *Las mujeres **que** están allí hablando son españolas.*
- *El libro **que** compré ayer está en la estantería.*

3 **Pueden llevar el verbo en indicativo o subjuntivo:**

1. Indicativo

- Cuando se dice algo seguro, constatado del antecedente (la persona, cosa o lugar a que se refiere el pronombre):

- *Ahora tengo un ordenador **que no funciona** bien.*
- *Las personas **que saben** inglés tienen más posibilidades de trabajar.*

2. Subjuntivo

- Cuando se dice algo no bien definido o constatado del antecedente:

- *Estoy buscando un ordenador **que funcione** bien.*
- *¿Hay alguien **que haya visto** lo que ha pasado?*

- Cuando negamos la existencia del antecedente o decimos que es escaso:

- *Aquí **no hay nadie que sepa** inglés.*
- *Conozco **poca gente que cocine** como ella.*

1. Transforme las frases como en el modelo.

1. *Ayer probé un plato nuevo. El plato tenía muchas especias.*
   Ayer probé un plato nuevo que *tenía muchas especias.*
2. Yo solo vi salir a un hombre. El hombre llevaba una cartera negra.
   ....
3. A mí me dio el recado una mujer. La mujer tenía una voz muy agradable.
   ....
4. Encontramos un hotel precioso. El hotel estaba en el centro.
   ....
5. Yo tomo estos caramelos. Tienen poca azúcar.
   ....
6. Juan ha alquilado una casa antigua. La casa es preciosa.
   ....
7. Ayer llamó a casa una chica. Ella no dijo su nombre.
   ....
8. Nos paró un policía. Él no era muy simpático.
   ....
9. Mis padres me compraron una bicicleta. Era muy barata.
   ....
10. Un chico rompió el cristal. El chico salió corriendo.
    ....
11. Jesús llevaba una cazadora de cuero. La cazadora era muy cara.
    ....

Aciertos: .... **de 10**

2. Relacione las columnas para formar frases.

1. Buscan una secretaria		a. llevaba a refugiados.
2. Necesito un sofá		b. tenga recetas de cocina.
3. Yo voy mucho a un cine		c. corra bastante.
4. Estoy buscando un piso		d. está muy cerca del metro.
5. Conozco a un chico	que	e. sea más céntrico.
6. Quería un libro		f. pone películas en V.O.
7. Vimos un barco		g. se ha casado cuatro veces.
8. He encontrado un piso		h. ocupe poco espacio.
9. Les he pedido a mis padres una moto		i. sepa inglés y francés.

Aciertos: .... **de 9**

3. Escriba el verbo en la forma adecuada del indicativo o subjuntivo.

1. *A mí no me gusta la gente que* grita *constantemente. (gritar)*
2. Estamos buscando un apartamento que ____________ cerca de la playa. *(estar)*
3. Ernesto es el chico más amable que yo ____________ en mi vida. *(conocer)*
4. ¿Cómo se llama la canción que ____________ tocando ayer? *(estar)*
5. ¿Has encontrado ya las llaves que ____________ la semana pasada? *(perder)*
6. Quiero una habitación que no ____________ a la calle principal. *(dar)*

7. Si no tenemos suficiente pan, compraremos el que nos _______ *(faltar)*
8. Si necesitas papel, pide los folios que ___________ *(querer)*
9. La policía busca a los ladrones que ___________ el banco ayer. *(robar)*
10. Necesitan a alguien que ___________ experiencia en ventas. *(tener)*
11. ¿Has visto las fotos que ___________ el verano pasado? *(hacer, nosotros)*
12. Recomiéndame una película que no ______ violenta. *(ser)*
13. Tráeme un vaso de agua, pero que no ___________ muy fría. *(estar)*
14. Buenos días, quiero un diccionario que ___________ pequeño. *(ser)*

Aciertos: .... de 13

4. Escriba frases como en el modelo.

1. *Escribir telenovelas* — *¿Conoces a alguien que escriba telenovelas?*
2. Tocar la gaita ____________________
3. Bailar flamenco ____________________
4. Saber hablar chino ____________________
5. Vivir en Nueva York ____________________
6. Tener caballos ____________________
7. Coleccionar sellos ____________________
8. Tener un camión ____________________
9. Arreglar electrodomésticos ____________________

Aciertos: .... de 8

5. Ahora, haga las preguntas anteriores a un amigo y anote sus respuestas. También puede responder usted en forma afirmativa y negativa como en el modelo.

1. *Sí, conozco a un chico que escribe telenovelas.*
   No, no conozco a nadie que escriba telenovelas.
2. *Sí,* ____________________ *No,* ____________________
3. *Sí,* ____________________ *No,* ____________________
4. *Sí,* ____________________ *No,* ____________________
5. *Sí,* ____________________ *No,* ____________________
6. *Sí,* ____________________ *No,* ____________________
7. *Sí,* ____________________ *No,* ____________________
8. *Sí,* ____________________ *No,* ____________________
9. *Sí,* ____________________ *No,* ____________________

Aciertos: .... de 8

TEMA 17 TOTAL aciertos: .... de 48

Tema 18

LAS ORACIONES DE RELATIVO (II)

Esta es la casa **donde yo pasaba** las vacaciones de pequeño.

Sr. Gómez, este es el joven **de quien le hablé** para este trabajo.

Las oraciones de relativo			
(antecedente) + (preposición) +	*que* *donde* *quien / -es*	+	indicativo / subjuntivo

Uso

1 Los conectores más usados para introducir oraciones de relativo son: ***que, donde, quien/-es.***

2 En las oraciones relativas con preposición:

- La preposición va siempre antes del pronombre:
  - *Mira, esa es la profesora* ***de quien*** *te hablé.*
  - *Esta es la calle* ***por donde*** *pasarán los Reyes Magos.*

- Si el pronombre relativo es ***que***, va precedido del artículo:
  - *Mira, esa es la profesora* ***de la que*** *te hablé.*
  - *Ya están aquí los niños* ***a los que*** *has llamado.*
  - *Han cerrado el parque* ***por el que*** *paseábamos de pequeños*

3 Cuando el antecedente es una persona, se utiliza ***el / la / los / las que*** o ***quien / quienes*** si van con preposición:

- *Los turistas* ***a quienes*** *vendí el coche eran suecos.*
- *Los turistas* ***a los que*** *alquilé el apartamento eran suecos.*

4 ***Quien*** solo se usa cuando no hay antecedente o cuando va con preposición:

- ***Quien*** *te dice eso, no te quiere.*
- *Es una persona* ***en quien*** *confío.*

5 Si el antecedente se refiere a una situación o idea, se utiliza el artículo neutro ***lo*** delante de ***que***:

- *¿Qué es* ***lo que*** *me querías decir?*
- ***Lo que*** *dices me parece bien.*

1. Complete con los elementos del recuadro.

en la que vive Ernesto	donde compro normalmente
con el que salía Maribel	en la que dormimos
en el que nos alojamos	al que se refería el profesor
de quien te hablé ayer	en la que trabaja Jesús
	con la que está hablando el camarero

1. *El chico con el que salía Maribel está viviendo en otro país.*
2. La mujer ______________________ es una actriz famosa.
3. La empresa ______________________ fabrica baterías para coches.
4. El supermercado ______________________ ha cambiado de dueño.
5. Esta es la compañera ______________________
6. El hotel ______________________ está al lado de la playa.
7. La cama ______________________ era muy incómoda.
8. La casa ______________________ es del siglo pasado.
9. El libro ______________________ no está en las librerías.

Aciertos: .... **de 8**

2. Complete las frases con *el / la / los / las, que, quien, donde*. A veces hay varias posibilidades.

1. *Todos los que estaban allí se quedaron mudos por la noticia.*
2. Este no es el trabajo para ____________ yo me había preparado.
3. Los chicos con ____________ salimos anoche eran asturianos.
4. No me gustan esas amigas con ____________ vas de vacaciones.
5. Hay un refrán que dice: «____________ bien te quiere, te hará llorar».
6. Escuchadme, chicas, ____________ vivan cerca, se quedan a recoger.
7. ____________ no esté de acuerdo, que lo diga.
8. Todos ____________ asistan a la presentación del libro tendrán un regalo.
9. Por favor, ____________ hayan terminado, que lleven sus platos a la cocina.
10. Aquí es ____________ conocí a Gabriela.
11. Este es el editor de ____________ te hablé.
12. Cuando mis hijos eran pequeños, no tenía ____________ dejarlos.
13. En esta casa, mi mujer es ____________ organiza las tareas.
14. ____________ quiera salir antes de tiempo, que levante la mano.
15. Entre nosotras, ____________ diga que no tiene problemas, está mintiendo.
16. ____________ salieron antes no encontraron problemas y ____________ se quedaron encontraron grandes atascos.
17. De las actrices actuales, ____________ más me gusta es Anita Pérez.
18. ____________ mal anda, mal acaba.
19. Ahora viene la escena en ____________ aparece mi actor favorito.
20. El primer chico a ____________ besé era mi vecino.

Aciertos: .... **de 20**

3. Elija la opción correcta.

1. *Mi madre siempre recuerda lo que decía su madre.*
2. No me sorprende lo que / que ha pasado en el trabajo. Hay mucho caos.
3. Cerca de mi casa no hay una biblioteca que / donde pueda estudiar.
4. De todos, a que / a quien más echo de menos es a mi hijo pequeño.
5. Que / los que acaban de llegar a la fiesta son mis mejores amigos.
6. En realidad, ella quien / lo que quería era ser cantante de ópera.
7. La policía aún no ha detenido a quien /a los que robaron el cuadro.
8. Que / Quien bien te quiere, te hará llorar.
9. El médico quien / con el que hablamos fue muy amable.
10. Los que / Que vinieron con nosotros estaban muy contentos.
11. El puente por el que / donde hay que pasar está cerrado.
12. El apartamento en el que / que estuvimos estaba lejos del mar.

Aciertos: .... **de 11**

4. Escriba *el* o *lo* en el hueco, según convenga.

1. *Haz exactamente lo que él te diga.*
2. Ese abrigo no es ____ que a mí me gustaba.
3. ¿Quién es ____ que dice eso?
4. ¿Qué es ____ que dices tú?
5. ¿Tú crees ____ que cuenta Pedro?
6. A mí, ____ que me gusta es esquiar.
7. Quiero otro libro, ya me he leído ____ que me prestaste ayer.
8. ¿Qué es ____ que llevas en el cuello?
9. Tráeme aquel, ____ que está a la derecha.
10. ____ que salga antes de la hora no podrá volver.
11. Mari Carmen ve todo ____ que sale en la tele.
12. Cuéntame todo ____ que sepas sobre ese asunto.
13. No hay más café, te has bebido todo ____ que quedaba.
14. ____ que nace en Andalucía se llama *andaluz*.
15. No estoy de acuerdo con ____ que dijeron en el debate.
16. ¿Te gusta este collar? Es ____ que me regaló mi padre para mi boda.
17. Espero que te guste ____ que te he comprado para tu cumpleaños.
18. No estoy de acuerdo con ____ que dijo el ministro de Economía.

Aciertos: .... **de 17**

TEMA 18 TOTAL aciertos: .... **de 56**

Tema 19

U LAS ORACIONES FINALES

Las oraciones finales		
Para	+	infinitivo
Para que	+	subjuntivo
¿Para qué	+	indicativo?

Uso

1 **Las oraciones subordinadas que expresan finalidad van introducidas por *para* / *para que* y pueden llevar el verbo en infinitivo o en subjuntivo:**

1. Infinitivo. Cuando el sujeto de los dos verbos es el mismo:
   - *He venido **para verte**.*
     (yo) (yo)
   - *Pablo y Nieves están ahorrando dinero **para casarse**.*
     (ellos) (ellos)

2. Subjuntivo. Cuando el sujeto de los dos verbos (el principal y el subordinado) es diferente:
   - *He venido **para que me cuentes** toda la verdad.*
     (yo) (tú)
   - *Sus padres lo han mandado a Inglaterra **para que aprenda inglés**.*
     (ellos) (él)

2 **Las oraciones interrogativas introducidas por *¿para qué...?* siempre llevan el verbo en indicativo:**

- ***¿Para qué quieres** más dinero?, no necesitas más.*
- ***¿Para qué vas** a ir a esa reunión?, no van a decir nada nuevo.*
- ***¿Para qué has comprado** tanta carne?*

Observe que estas oraciones no son subordinadas, es decir, no dependen de otra oración (principal).

1. ¿Para qué sirven estos objetos? Relacione las columnas.

1. El abanico		a. conservar las bebidas calientes.
2. El botijo		b. pegar plástico solamente.
3. Este pegamento		c. limpiar manchas difíciles.
4. Esta trituradora	sirve para	d. limpiar alfombras.
5. El termo		e. conservar el agua fresca.
6. Este quitamanchas		f. darse aire.
7. El cepillo		g. picar la carne y otros alimentos.

Aciertos: .... de 6

2. Complete las frases con las del recuadro.

para que le preste el abrelatas	**para pagar las letras del coche nuevo**
para que no te vean los vecinos	**Para llegar hasta allí**
para que se duerma	**para que me informen sobre el curso de pintura**
Para estar sano	
para que entre más aire	

1. *Todos los días le contamos un cuento al niño para que se duerma.*
2. ______________ tienes que coger un avión y dos autobuses.
3. Buenos días, llamo ______________
4. Sal por la puerta de atrás ______________
5. ______________ hay que cuidar la alimentación.
6. Abre la otra ventana ______________
7. La vecina ha venido ya tres veces ______________
8. Tiene que trabajar horas extra ______________

Aciertos: .... de 7

3. Complete con el verbo en infinitivo, indicativo o subjuntivo.

1. *Ha comprado otro archivador para* **organizar** *todos los papeles. (organizar)*
2. Están haciendo un gran esfuerzo para que sus hijos __________. *(estudiar)*
3. ¿Para qué __________ tantas patatas?, ya tenemos bastantes. *(comprar, tú)*
4. Tengo que hacer maravillas para que el dinero me __________ a final de mes. *(llegar)*
5. Pedro, te llamo para que me __________ lo que se ha hablado en la reunión de hoy. *(contar)*
6. Tienes que ir al banco para __________ por la subida de la hipoteca. *(preguntar)*
7. Yo no he venido aquí para que __________ chismes. *(contar, vosotros)*
8. Dale dinero al niño para que __________ chucherías. *(comprarse)*
9. ¿Para qué __________ más harina? *(querer, tú)*
10. ¿Has llamado a María para que __________ esta tarde a la reunión? *(venir)*

11. El médico te ha recetado los medicamentos para que te los ____________, no para que los ____________ en el armario del cuarto de baño. *(tomar, guardar)*
12. Papá, envíame dinero para ____________ el alquiler del piso. *(pagar)*
13. ¿Para qué ____________ a Paco que vamos al cine esta tarde? *(decir, tú)*
14. Cierra bien la puerta para que no ____________ aire. *(entrar)*
15. Apaga el teléfono para que no nos ____________ nadie. *(molestar)*
16. Ya solo nos faltan siete días para ____________ el mes. *(terminar)*
17. Ana, necesito una sartén para ____________ huevos. *(freír)*

Aciertos: .... de 17

4. Complete las frases con *para / para que / para qué* + uno de los verbos del recuadro en el tiempo adecuado.

ver (2) ser distraerse comprar cenar
querer reírse echarles salir estar

1. *Te he traído un regalito para que veas que me acuerdo de ti.*
2. Alquilaremos la casa del año pasado ____________ cerca de mis padres.
3. ____________ rico no es imprescindible trabajar mucho.
4. Asómate a la ventana ____________ si vienen ya los invitados.
5. Toma cinco euros, Juanjo, ____________ chucherías.
6. Tenemos que llamar a Ángel ____________ de casa y ____________ porque está bastante deprimido.
7. Marcos hace muchas tonterías en la oficina ____________ sus compañeros.
8. Se pusieron sus mejores trajes ____________ con el ministro.
9. Te mandaré los papeles por correo ____________ un vistazo.
10. ¿____________ el coche? Es la tercera vez que me lo pides en una semana.

Aciertos: .... de 10

5. Complete con *para / para que*.

1. Mi socio se ha comprado un coche nuevo para ____________
2. El profesor levanta la voz para ____________
3. María tiene que ir al médico para ____________
4. Ha ido a Brasil para ____________
5. Lola le ha comprado un despertador a Andrés para ____________

TEMA 19 TOTAL aciertos: .... de 40

Tema 20

LAS ORACIONES TEMPORALES (I)

Las oraciones temporales		
Cuando	+	indicativo / subjuntivo
¿Cuándo	+	indicativo?

Uso

1 **Las oraciones subordinadas temporales introducidas por *cuando* pueden llevar el verbo en indicativo o subjuntivo:**

1. Indicativo

- Cuando hablamos del pasado:

- ***Cuando era*** *pequeño, vivía en Salamanca.*
- *Ayer,* ***cuando llegué*** *a casa, llamé a Eduardo.*

- Cuando hablamos del presente:

- *Luis siempre me trae bombones* ***cuando viene*** *a verme.*
- *María,* ***cuando quiere****, suele ser muy amable.*

2. Subjuntivo

- Cuando hablamos del futuro:

- ***Cuando tenga*** *dinero, me compraré otro coche.*
- ***Cuando veas*** *a María, dale recuerdos.*

2 **Las oraciones interrogativas introducidas por *¿cuándo...?* siempre llevan el verbo en indicativo:**

- *¿****Cuándo has venido*** *de tu viaje?*
- *¿****Cuándo irás*** *a ver a tu padre?*
- *No sé* ***cuándo volverá*** *mi hermana.*

3 Algunas veces, las oraciones introducidas por *cuando* pueden tener valor condicional. En este caso *cuando* va con un verbo en subjuntivo *(apruebes)* y *si* va con un verbo en indicativo *(apruebas)*:

- ***Cuando apruebes*** *todas las asignaturas, te compraré la moto.*
- ***Si apruebas*** *todas las asignaturas, te compraré la moto.*

Ejercicios

1. Relacione.

1. Cuando uno se encuentra mal
2. Él comprendió el problema
3. Cuando no duerme bien
4. Cuando llego a casa
5. Cuando tenía 18 años
6. Cuando llegamos al hotel
7. Empezaremos a cenar
8. Saldremos

a. cuando deje de llover.
b. no había habitaciones libres.
c. está de mal humor.
d. conoció a su mujer.
e. cuando lleguen los invitados.
f. cuando se lo expliqué.
g. va al médico.
h. el perro me recibe muy contento.

Aciertos: .... de 7

2. Siga el modelo.

1. • *Vosotros / casarse* — • *Nosotros / ahorrar / bastante*
   ¿Cuándo os vais a casar? — *Cuando ahorremos bastante.*
2. • (Tú) / hacer / tu cama — • Terminar / la película
   ______________ ______________
3. • (Tú) / venir / a mi casa — • Tener / un rato libre
   ______________ ______________
4. • Terminar / esta situación — • Los políticos / querer
   ______________ ______________
5. • (Tú) / hacer / otro viaje — • Ellos / darme / vacaciones
   ______________ ______________
6. • Ser / las elecciones — • El presidente / convocarlas
   ______________ ______________

Aciertos: .... de 6

3. Elija el tiempo más adecuado.

1. • *Maite, ¿cuándo vayamos / vamos a ir a la feria?*
   • *Cuando yo terminaré /* ***termine*** *lo que estoy haciendo.*
2. Cuando estaba cenando, lo *llamaron / llaman* urgentemente del hospital.
3. Cuando *vayamos / iremos* a esquiar, *tendremos / tengamos* que alquilar los esquíes.
4. Este árbol lo planté cuando *nació / nazca* mi hija Victoria.
5. Cuando usted *beba / bebe* alcohol, no conduzca.
6. Cuando mis padres murieron, mi hermano *se quede / quedó* con la casa.
7. Cuando *era / sea* joven, tuvo un accidente y pasó meses en el hospital.
8. Préstame una película, te la devolveré cuando la *veré / vea*.
9. Cuando *vengas / vendrás* a mi casa te *enseñaré / enseñe* las fotos de mi boda.
10. Cuando *puedes / puedas*, ven a echarme una mano.

11. Veré otra vez a mis amigos cuando *vaya / iré* a Madrid.
12. Cuando *necesites / necesitarás* ayuda, no *dudes / dudas* en llamarnos.
13. Cuando *verás / veas* a Pepita, dale recuerdos de mi parte.
14. Me voy fuera, te llamaré cuando *volveré / vuelva*.

Aciertos: .... de 16

4. Complete las frases con el verbo en el tiempo y modo más adecuados.

1. *Te veré otra vez cuando vuelvas a España. (volver, tú)*
2. Avísame cuando ____________ de llover. *(dejar)*
3. Cuando la policía ____________ el cadáver, detuvo al asesino. *(descubrir)*
4. Cuando ____________, ella siempre llama por teléfono. *(poder)*
5. Cuando ____________, llámame por teléfono. *(poder, tú)*
6. Cuando ____________, iba a visitar a su madre. *(poder, él)*
7. Cuando ____________ joven, yo vivía en Barcelona. *(ser)*
8. Tengo que llevar el coche al mecánico, cuando ____________ tiempo. *(tener)*
9. María, espérame en la cafetería cuando ____________ de clase. *(salir)*
10. Cuando ____________ a Rafael, dile que no puedo ir a la reunión. *(ver, tú)*
11. Yo, cuando un amigo me ____________, dejo de hablarle. *(traicionar)*
12. Aquí, cuando ____________ el accidente, murieron varias personas *(haber)*.
13. Yo, cuando ____________ muy cansado, paro el coche y descanso. *(estar)*
14. Yo, cuando ____________ seguro de que me quiere, me casaré. *(estar)*
15. Cuando ____________ bien los verbos irregulares, me lo dices. *(saber, tú)*
16. Juan, avísame cuando ____________ el coche, he aparcado el mío delante del tuyo. *(mover, tú)*
17. Esta novela es fabulosa. Cuando ____________de leerla, te la dejaré. *(terminar, yo)*
18. Y tú, Juanito, ¿qué vas a ser cuando ____________ mayor? *(ser)*
19. Luis, cuando ____________, es muy amable. *(querer)*
20. Algunos hombres solo colaboran en casa cuando ellas ____________ enfermas. *(estar)*

Aciertos: .... de 19

5. Complete con *cuando* o *si*.

1. *Si no puedes, no vengas a buscarme esta tarde.*
2. ____________ Jesús no aparece hoy en su trabajo, llamaremos a la policía.
3. ____________ puedas, pásate por mi casa a recoger tus herramientas.

4. __________ no se le quita el dolor de cabeza con estas pastillas, llámeme.
5. Vamos, date prisa, __________ llegamos tarde, el profesor no estará.
6. __________ vayas a París, no dejes de ver el Louvre, es fabuloso.
7. __________ ves a Adrián, dile que no se preocupe por mí, que estoy bien.
8. __________ veas a tu madre, dale recuerdos de mi parte.
9. __________ tenga un momento, quiero acercarme a ver a Clara.
10. __________ a ti no te gusta esta mesa, no la compramos.

Aciertos: .... de 9

6. Elija la opción correcta.

1. ¿Cuándo viajarás a Praga?
   a. Cuando voy a tener vacaciones.
   b. Cuando tenga vacaciones.
   c. Cuando tendré vacaciones.

2. ¿Cuándo vas a cambiar de coche?
   a. Cuando tenga dinero.
   b. Cuando tendré dinero.
   c. Cuando tenía dinero.

3. ¿Cuándo le viste por última vez?
   a. Cuando estuve en Madrid.
   b. Cuando estaré en Madrid.
   c. Cuando estoy en Madrid.

4. ¿Cuándo sales a bailar?
   a. Cuando estuve con amigos.
   b. Cuando estaré con amigos.
   c. Cuando estoy con amigos.

5. ¿Cuándo visitarás a tus abuelos?
   a. Cuando vaya al pueblo.
   b. Cuando iré al pueblo.
   c. Cuando fui al pueblo.

6. ¿Cuándo vas a llamarlo?
   a. Cuando voy a tener su número.
   b. Cuando tenga su número.
   c. Cuando tendré su número.

Aciertos: .... de 6

7. Complete libremente, utilizando *cuando* + subjuntivo.

1. *Iremos a la playa cuando haga buen tiempo.*
2. Tendremos un hijo ______________________________
3. Dice que se comprará un apartamento ______________________________
4. Llamaré por teléfono a Jacinto ______________________________
5. Ellos limpiarán la cocina ______________________________

TEMA 20 TOTAL aciertos: .... de 63

Tema 21

LAS ORACIONES TEMPORALES (II)

Rafa, por favor, acuéstalo después de que se tome el biberón.

Las oraciones temporales		
Antes de *Después de* *Hasta*	+	infinitivo
Antes de que	+	subjuntivo
Después de que *Hasta que*	+	indicativo / subjuntivo

Uso

1 **Las oraciones introducidas por *antes de* pueden llevar el verbo en infinitivo o subjuntivo:**

1. Infinitivo. Cuando el sujeto de los dos verbos es el mismo:
   - *¿Terminaremos* ***antes de comer****?*
     (nosotros) (nosotros)
2. Subjuntivo. Cuando el sujeto de los dos verbos no es el mismo:
   - *Vamos a terminar,* ***antes de que venga*** *el jefe.*
     (nosotros) (él)

2 **Las oraciones introducidas por *después de (que)* pueden llevar el verbo en infinitivo o subjuntivo:**

1. Infinitivo. Es lo más habitual:
   - *Nos iremos al cine* ***después de cenar****.*
2. Subjuntivo. Aunque es poco usual, es posible cuando el sujeto de los dos verbos es diferente:
   - *Nos iremos al cine* ***después de que llegue*** *la canguro.*
     (nosotros) (ella)

3 **Las oraciones introducidas por *hasta que* pueden llevar el verbo en indicativo, subjuntivo o infinitivo:**

1. Indicativo. Cuando hablamos del presente o del pasado:
   - *Mi madre no se acuesta* ***hasta que yo llego****.*
   - *No se fue a casa* ***hasta que le dijeron*** *que no había peligro.*
2. Subjuntivo. Cuando hablamos del futuro:
   - *No cenaremos* ***hasta que venga*** *papá.*
3. Infinitivo. Es posible encontrar el verbo en infinitivo cuando el sujeto de los dos verbos es el mismo:
   - *Bailó* ***hasta no poder*** *más.*

Ejercicios

1. Complete con los elementos de los recuadros A y B.

A: antes de | después de

B: ver a Pedro en el hospital | salir de viaje | cruzar la calle | comprar un piso | comer | salir del trabajo | entrar

1. *Jorge, lávate las manos antes de comer.*
2. No olvidéis apagar el ordenador ____________________
3. Por favor, dejen salir del tren ____________________
4. Me he quedado muy impresionada ____________________
5. Normalmente vamos a tomar algo ____________________
6. ____________________, hay que mirar a derecha e izquierda.
7. ____________________, hay que pensárselo, han subido mucho.

Aciertos: .... de 6

2. Siga el modelo.

1. *Yo / comer. Ellos / venir.*
   Yo voy a comer antes de que ellos vengan.
2. Él / hacer ese recado. Las tiendas / cerrar
   ____
3. Nosotros / salir. Ser más tarde
   ____
4. Ella / comprar el periódico. Terminarse / (el periódico)
   ____
5. Ellos / cambiarse de casa. Nacer / el niño
   ____
6. Nosotros / ordenar la casa. Venir / mis padres
   ____
7. Vosotros / comer la sopa. Enfriarse / (la sopa)
   ____
8. Yo / terminar el informe. Venir / el director
   ____

Aciertos: .... de 7

3. Complete con *después de, antes de, antes de que* + el verbo en la forma más adecuada.

1. *Antes de salir al extranjero, comprueba que tus documentos están en regla. (salir)*
2. Llama al fontanero, ____________ el agua ____________ al piso de abajo. *(llegar)*

3. Yo siempre pido permiso ______________ la ventana. *(abrir)*
4. Nos gusta ver la tele un rato, ______________ *(cenar)*
5. Tenemos que ver a Antonio y Puri, ______________ las Navidades. *(llegar)*
6. El domingo, ______________ la exposición, fuimos a comer a un italiano. *(ver)*
7. Vamos a comprar palomitas de maíz, ______________ la película. *(empezar)*
8. ______________ a una entrevista de trabajo, debes prepararte bien. *(Ir)*
9. Federico ______________ a Isabel, nunca había salido con ninguna chica. *(conocer)*
10. ______________ otro equipo de música, avísame. *(Comprar)*
11. ______________ la carrera de piano, Eva no ha vuelto a tocar más. *(Terminar)*
12. Hay que hacer algo por ellos, ______________ de hambre. *(morir)*
13. Mi madre, ______________ me dijo que yo era su hijo preferido. *(morir)*
14. ______________ con ellos, pregúntales por qué no vinieron el otro día, como habían dicho. *(Enfadarse)*

Aciertos: .... **de 13**

4. Complete con el verbo en el tiempo adecuado.

1. *No podemos movernos de aquí hasta que no* vengan *a relevarnos.*
2. No te levantarás de la mesa hasta que no te lo __________ todo. *(comer)*
3. No hagas ninguna gestión hasta que yo te lo __________ *(decir)*
4. En España, la mayoría de los jóvenes viven con sus padres hasta que __________ *(casarse)*
5. Te esperaré hasta que __________ lo que tienes que hacer. *(terminar)*
6. Cuando hay un accidente de carretera, no debe mover a los heridos hasta que __________ la ambulancia o un médico. *(llegue)*
7. Él gritó y gritó hasta que nosotros __________ que se callara. *(decir)*
8. No me lo creeré hasta que no lo __________ *(ver)*
9. Ellos vivieron en ese piso hasta que los __________ *(echar)*
10. No me des ninguna respuesta hasta que __________ seguro. *(estar)*
11. Estuvimos esperando hasta que __________ de llover. *(dejar)*
12. Si yo tardo un poco, él siempre espera hasta que __________ *(llegar)*
13. La gente se aburría en la fiesta, hasta que __________ ellos y __________ a cantar y bailar. *(llegar, ponerse)*
14. Si te han robado, no muevas nada hasta que __________ la policía. *(venir)*
15. No puedes salir del hospital hasta que el médico no te __________ el alta. *(dar)*

Aciertos: .... **de 15**

5. Forme una frase nueva, haciendo la transformación necesaria, como en el modelo.

1. *Estoy terminando la novela. Después me acostaré.*
   Me acostaré después de terminar la novela.
2. Va a empezar a llover. Antes tenemos que comprar.
   (Nosotros) ____________ antes de que ____________
3. Volverás de la reunión. Ven a verme.
   (Tú) ____________ cuando ____________
4. Siempre se ducha. Después desayuna.
   (Él) ____________ después de ____________
5. Los invitados van a venir. Yo voy a preparar las cosas.
   (Yo) ____________ antes de que ____________
6. Voy a alquilar un piso céntrico. Después te vendrás conmigo.
   (Tú) ____________ cuando ____________
7. Siempre come en casa. Después se va al bar a tomar el café.
   (Él) ____________ después de ____________
8. Yo vendré a buscarte. Tú quédate aquí.
   (Tú) ____________ hasta que yo ____________
9. Terminaré la universidad. Haremos un viaje por Europa.
   (Nosotros) ____________ cuando ____________

Aciertos: .... de 8

6. Piense qué hay que hacer *antes* o *después de* una de estas situaciones. Escriba recomendaciones a un amigo que está en esa situación.

a) hacer un viaje largo

hacer la maleta	comprar una guía turística	sacar el billete
deshacer la maleta	descansar	enseñar a los amigos las fotos

1. *Antes de hacer la maleta, tienes que sacar el billete.*
   Después de descansar, tienes que enseñar las fotos a tus amigos.

____

b) buscar un trabajo

____

____

c) buscar un piso

____

____

TEMA 21 TOTAL aciertos: .... de 49

Tema 22

SER + ADJETIVO

Las oraciones subordinadas dependientes	
(No) Es verdad *(No) Es obvio* *(No) Es evidente* *(No) Es cierto* ...	+ *que* + indicativo / subjuntivo
(No) Es lógico *(No) Es difícil* *(No) Es conveniente* *(No) Es necesario* *(No) Es normal* *(No) Es mejor* *(No) Es posible* ...	+ infinitivo / *que* + subjuntivo

Uso

1 **Las oraciones subordinadas y dependientes con *es obvio, es evidente, es cierto que* pueden llevar el verbo en indicativo o subjuntivo:**

1. Indicativo.
   - Cuando la oración principal es afirmativa:
     - ***Es evidente que*** *el tabaco* ***perjudica*** *la salud.*
   - Cuando la oración principal es negativa e interrogativa:
     - *¿**No es verdad que** la gasolina **ha bajado** de precio?*
2. Subjuntivo.
   - Cuando la oración principal es negativa:
     - ***No es justo que*** *el acusado* ***sea*** *culpable.*

2 **Las oraciones subordinadas y dependientes con *es lógico, es justo, es necesario, es posible (que)* pueden llevar el verbo en infinitivo o subjuntivo:**

1. Infinitivo. Cuando la oración no tiene un sujeto personal.

   Son construcciones impersonales que expresan afirmaciones generales:
   - ***Es necesario ahorrar*** *para el futuro.*
   - ***Es conveniente hacerse*** *una revisión médica de vez en cuando.*
2. Subjuntivo. Cuando la oración subordinada tiene un sujeto personal:
   - ***Es necesario que ahorres*** *para el futuro.*

     (tú)

1. Complete con uno de los verbos del recuadro.

es (2) hay tienen ha aprobado aprenden sobran han mejorado suele durará

1. *Es evidente que, en ese asunto, él es el responsable de todo.*
2. ¿Es verdad que ya no ____________ entradas para el concierto?
3. Es obvio que algunas personas nunca ____________ de la experiencia.
4. Es obvio que a Julián le ____________ 30 kilos, por lo menos.
5. Es verdad que, si sigue así, no ____________ mucho en ese trabajo.
6. Es evidente que los hijos de los vecinos no ____________ ni idea de modales.
7. Es obvio que los transportes públicos ____________ mucho en los últimos años.
8. ¿Es cierto que el Gobierno ____________ nuevas medidas contra la contaminación?
9. Es evidente que la falsificación de marcas famosas ____________ un negocio que mueve miles de millones al año.
10. Es obvio que la ropa vaquera ____________ gustar a todo el mundo.

Aciertos: .... de 9

2. Reescriba las frases anteriores en forma negativa.

1. *No es evidente que, en ese asunto, él sea el responsable de todo.*
2. *¿No es verdad que ya no hay entradas para el concierto?*
3. ____
4. ____
5. ____
6. ____
7. ____
8. ____
9. ____
10. ____

Aciertos: .... de 8

3. Escriba el verbo entre paréntesis en infinitivo o en la forma adecuada del subjuntivo. Recuerde cuándo debe añadir *que* delante.

1. *No es necesario que vengas a ayudarme. (venir)*
2. Es difícil ____________ a ser una persona famosa. *(llegar)*

3. Es conveniente ____________ pronto de casa para no encontrar atascos. *(salir, nosotros)*
4. No es normal que un enfermo ____________ que esperar meses para ser operado. *(tener)*
5. No es lógico ____________ las tiendas tres horas a mediodía. *(cerrar)*
6. Yo creo que es necesario ____________ con la idea de que la sanidad pública es mala. *(acabar)*
7. Es mejor ____________ de lo que pasó. Nadie tuvo la culpa. *(olvidarse, tú)*
8. Es necesario ____________ más para mejorar los resultados de la empresa. *(comprometerse, nosotros)*
9. ¿Tú crees que es normal ____________ los sueldos y los precios ____________? *(bajar, subir)*
10. Es mejor ____________ y ____________ lo que dice el jefe. *(callarse, hacer, tú)*
11. No es justo ____________ tanto y otros, tan poco. *(tener ellos)*
12. No es necesario ____________ a ayudarme. *(venir, tú)*
13. Para decorar una casa, no es necesario ____________ mucho dinero. *(gastarse)*
14. No es necesario que ____________, no estoy sordo. *(gritar, tú)*
15. Es mejor ____________ hasta que os ____________ *(esperar, vosotros; llamar, ellos)*
16. No es necesario ____________ en hoteles que están frente a la playa para disfrutar de un viaje. *(alojarse)*
17. Es lógico ____________ a sus hijos. *(defender, una madre)*

Aciertos: .... **de 19**

4. Elija la opción correcta.

1. *Es lógico que está / **esté** enferma, no come nada.*
2. No es justo que tu equipo *gana / gane* la liga.
3. Es evidente que Ernesto no *tiene / tenga* ni idea de mecánica.
4. ¿Crees que es necesario que *volvemos / volvamos* atrás?
5. No es necesario que me *dices / digas* lo que tengo que hacer.
6. ¿Es justo que los demás *ganas / ganen* más que yo por el mismo trabajo?
7. ¿Es cierto que *va / vaya* a cerrar la fábrica de coches?
8. Es posible que los hijos de madres trabajadoras *son / sean* más independientes.
9. Es obvio que María y su padre no *se llevan / se lleven* nada bien.
10. No es necesario que *cierras / cierres* la puerta del garaje con llave.
11. ¿Es seguro que *van / vayan* a venir hoy?
12. Es verdad que las plantas *crecen / crezcan* si les hablamos.
13. Es obvio que este alumno no *se prepara / se preparen* nada para el examen.

Aciertos: .... **de 12**

TEMA 22 TOTAL aciertos: .... **de 48**

Tema 23

EXPRESAR GUSTOS Y SENTIMIENTOS

Los verbos que expresan gustos y sentimientos	
(No) Me gusta / Importa / Molesta	+ infinitivo + *que* + subjuntivo

Uso

1 Las oraciones subordinadas con verbos como *gustar, importar, molestar, fastidiar*, etc., y que van con los pronombres *me / te / le / nos / os / les*, pueden llevar el verbo en infinitivo o subjuntivo:

1. Infinitivo. Cuando el sujeto lógico de los dos verbos es el mismo:
   - ***No le gusta ni esquiar ni nadar.***
   - *A mí **me fastidia llegar** tarde.*

2. Subjuntivo. Cuando el sujeto lógico de los verbos no es el mismo:
   - *A mi madre **no le gusta que yo esquíe**.* (ella)
   - *A mí **me fastidia que** siempre **llegues** tarde.* (yo) (tú)

Ejercicios

1. **Haga preguntas como las del modelo.**

1. (madrugar) ¿Os gusta madrugar? o ¿Les gusta madrugar?
2. (salir de noche)

....

3. (recoger conchas en la playa)

....

4. (conducir coches de carreras)

....

5. (ver amanecer)

....

6. (hacer parapente)

....

Aciertos: .... de 5

2. **Ahora pregunte con *¿te / le molesta que...?***

1. (pedir dinero prestado, ellos)
¿Te / Le molesta que te / le pidan dinero prestado?
2. (la gente, gritar)

....

3. (fumar en tu presencia, ellos)

....

4. (la gente, llegar tarde)

....

5. (no escucharte cuando hablas)

....

6. (tus amigos venir a tu casa a las tantas)

....

Aciertos: .... de 5

3. **Pida permiso o un favor y utilice el tiempo adecuado.**

1. ¿Les importa que me siente aquí? Estoy muy cansada.
(A ustedes, sentarse, yo)
2. ¿.............................. la música? Me duele la cabeza. *(bajar, ustedes)*
3. ¿.............................. un rato antes? Tengo que ir al banco. *(A usted, salir, yo)*
4. ¿.............................. estos documentos? No tengo impresora. *(imprimir, tú)*
5. ¿.............................. tu coche? El mío está en el taller. *(prestar, tú)*
6. ¿.............................. tu falda negra? Yo no tengo ninguna. *(dejar, tú)*
7. ¿.............................. el móvil en clase? *(A ella, usar, vosotros)*
8. ¿.............................. a los niños al colegio? *(A ti, llevar, yo)*
9. ¿.............................. aquí las maletas hasta las 12? *(A usted, dejar, nosotros)*

Aciertos: .... de 8

4. Complete con infinitivo o subjuntivo (presente o pretérito perfecto). No olvide añadir *que* cuando sea necesario.

1. *No, no me molesta* **que toques** *la guitarra mientras yo estudio. (tocar, tú)*
2. Me encanta ________________ seguir estudiando en la universidad. *(querer, tú)*
3. Le entusiasma ________________ en el coro. *(cantar, sus hijos)*
4. A Amparo le pone nerviosa ________________ tarde. *(llegar, yo)*
5. A mi marido le encanta ________________ sus plantas. *(cuidar, él)*
6. ¿No te da pena ________________ esta casa tan bonita? *(vender, tú)*
7. ¿Te molesta ________________ fotos con tu cámara? *(hacer, yo)*
8. A ellos no les importa ________________ mucho en vacaciones. *(gastar)*
9. ¿No te sorprende ________________ del trabajo? *(despedir, a él)*
10. ¿A usted le pone nervioso ________________ de noche? *(conducir, usted)*
11. Adolfo, ¿te importa ________________ con este programa? No lo entiendo. *(ayudar, a mí)*
12. ¿Os importa ________________ primero al zoo y después al planetario? *(ir, nosotros)*
13. ¿No te molesta ________________ en un piso tan oscuro? *(vivir, tú)*
14. A mí me molesta muchísimo ________________ en mi vida privada. *(meterse, la gente)*
15. A mis vecinos no les importa ________________ discutir. *(oír, nosotros, a ellos)*

Aciertos: .... de 14

5. Escriba qué le gusta, le molesta o le pone nervioso de usted y de los demás.

A mí me gusta que los amigos me llamen cuando me necesitan.
A mí me gusta jugar a las cartas.
No me importa levantarme temprano.
A mí me pone nervioso que mi mujer corra mucho con el coche.
A mí me molesta mucho que me llamen por teléfono después de las 11.

____

____

____

____

____

____

____

TEMA 23 TOTAL aciertos: .... de 32

Tema 24

EXPRESAR OPINIÓN Y CONOCIMIENTO

Los verbos de entendimiento	
Pienso / Creo / Supongo *Estar seguro de* }	+ *que* + indicativo
No pienso / No creo *No estoy seguro de* }	+ *que* + subjuntivo
(No) Saber + si / dónde / cómo / qué	+ infinitivo / indicativo

Uso

1 **Las oraciones subordinadas con verbos de entendimiento como *creer, pensar, suponer, imaginar*, etc., pueden llevar el verbo en indicativo o subjuntivo:**

1. Indicativo. Cuando el verbo principal está en forma afirmativa:

- ***Estoy segura de que llegará** tarde.*
- ***Supongo que te casarás** con Marisa, ¿no?*
- *Y María, ¿no viene?*
- *No, **creo que tiene** que terminar unos informes.*

2. Subjuntivo. Cuando el verbo principal está en forma negativa:

- ***No estoy segura de que lo haga** bien.*
- ***Él no piensa que haya peligro** en lo que hace.*
- *¿Y María?*
- ***No creo que venga**. Tiene que terminar unos informes.*

2 **Las oraciones subordinadas con *saber* pueden llevar el verbo en indicativo o infinitivo:**

1. Indicativo. Cuando introduce oraciones interrogativas indirectas:

- *Solo ella **sabe si** Ernesto está trabajando en la misma empresa.*
- *Ya **sabemos a qué** hora sale el tren de Ávila.*
- *Ya **sabe dónde** ha puesto los informes. Estaban en su casa.*

2. Infinitivo o indicativo. Cuando va en forma negativa.

- ***No sabe** qué hacer con su hijo.*
- ***No sabemos** por dónde vendrá el tren.*
- ***No saben** salir de la ciudad. Están perdidos.*

Ejercicios

1. **Complete con las frases del recuadro.**

debía olvidarla cuanto antes	la economía mejorará este año
ahora haya más delincuencia que antes	tarden mucho en llegar
todavía es pronto para darte el alta	hoy hay correo?

1. *El médico opina que* ***todavía es pronto para darte el alta.***
2. Pensaba que ....
3. No creo que ....
4. ¿Estás segura de que ....
5. Yo no pienso que ....
6. Los políticos creen que ....

Aciertos: .... **de 5**

2. **Responda siempre en forma negativa.**

1. • *¿Tú crees que va a ganar las elecciones el Partido Conservador?*
   • ***No, no creo que el Partido Conservador gane las elecciones.***
2. • ¿Tú crees que Diego aprobará las oposiciones a notario?
   • ....
3. • ¿Tú crees que habrá atascos a estas horas en la carretera?
   • ....
4. • ¿Tú crees que Javier está muy enfermo?
   • ....
5. • ¿Tú crees que ahora hay rebajas en los centros comerciales?
   • ....
6. • ¿Tú crees que lloverá el fin de semana?
   • ....

Aciertos: .... **de 5**

3. **Exprese su opinión contraria.**

1. • *Ella está segura de que la empresa va mal.*
   • ***Pues yo no estoy seguro de que la empresa vaya mal.***
2. • Yo creo que Antonio no está bien.
   • ....
3. • Pienso que dejar el trabajo ahora es una locura.
   • ....
4. • Estamos seguros de que el perro sabe volver a casa.
   • ....
5. • La Dirección opina que hay que comprar más ordenadores.
   • ....
6. • Ellos piensan que el papel reciclado es mejor.
   • ....
7. • Él está muy seguro de que su equipo ganará la liga.
   • ....

Aciertos: .... **de 6**

4. Siga el modelo.

1. *Él / alquilar / el piso* — *Yo creo que él ha alquilado el piso. Yo no creo que él haya alquilado el piso.*
2. Ellos / arreglar / el ascensor ....
3. Ella / vender / su coche ....
4. Ellos / salir de viaje ....
5. Su abuelo / estar / en el hospital ....
6. Ella / abandonar / a sus gatos ....

Aciertos: .... de 5

5. Subraye el tiempo más adecuado.

1. *Mucha gente piensa que las cárceles sirven / sirvan para poco.*
2. Nosotros no creemos que *hay / haya* que legalizar las drogas.
3. No creen que *son / sean* tan ignorantes como dicen.
4. No estoy tan seguro de que ese camino *lleva / lleve* hasta el río.
5. ¿Estás seguro de que ese cuadro lo *ha pintado / haya pintado* Federico?
6. Yo no opino como tú. No creo que a los niños *hay / haya* que comprarles todo.
7. Supongo que no *estarás / estés* enfadado por lo que te dije el otro día.
8. ¿Tú crees que *es / sea* verdad lo que cuenta Pepe?
9. Los técnicos no creen que el ciclista *llega / llegue* a la meta en esas condiciones.
10. Yo creo que a estas horas no los *encontrarás / encuentres* en casa.

Aciertos: .... de 9

6. Complete con los elementos del recuadro. Hay varias opciones.

dónde qué cómo si quién por qué cuándo

1. *Yo no sé si Patricia ha terminado los estudios.*
2. Yo no sé ______________ estamos esperando.
3. No sabemos ______________ no han venido todavía.
4. Él no sabe ______________ quiere su padre de regalo.
5. ¿No sabes ______________ vive Federico?
6. Todavía no sabemos ______________ volveremos de vacaciones.
7. ¿Usted sabe ______________ llamó por teléfono?
8. ¿Vosotros sabéis ______________ se enteró él de la noticia?

Aciertos: .... de 7

TEMA 24 TOTAL aciertos: .... de 37

Tema 25

EXPRESAR DESEO Y NECESIDAD

Los verbos de deseo, preferencia o necesidad
Espero *Quiero* *Prefiero* *Necesito* } + infinitivo / + *que* + subjuntivo

Uso

1 **Las oraciones subordinadas con verbos que sirven para expresar deseo, preferencia o necesidad, como *esperar, querer, preferir* o *necesitar*, pueden llevar el verbo en infinitivo o en subjuntivo:**

1. Infinitivo. Cuando el sujeto de los dos verbos es el mismo:

- *Hoy **quiero salir** a hacer ejercicio.*
- *Isabel, ¿vienes a pasear por el parque?*
- *No. **Prefiero quedarme** en casa viendo la película.*
  (yo) (yo)

- *Ellos **no necesitan trabajar** para vivir.*
  (ellos) (ellos)

2. Subjuntivo. Cuando el sujeto de los dos verbos no es el mismo:

- *¿Qué hacemos, jugamos a las cartas o te leo un cuento?*
- ***Yo prefiero que me leas** un cuento.*
  (yo) (tú)

- ***Espero que me llames** para ir al cine uno de estos días.*
  (yo) (tú)

- ***Necesito que me digas** qué ha pasado.*

Ejercicios

1. Complete con los verbos del recuadro. Cada uno se repite dos veces.

Necesitas	Prefiero	No quiero	Espero

1. *No quiero que te levantes de la cama, estás fatal.*
2. ________ que mi equipo gane la liga este año.
3. ________ llegar a tiempo a la reunión, ya solo faltan 5 minutos.
4. ________ llegar tarde.
5. ________ que alguien te ayude.
6. ________ comprarme un libro, no quiero más tableta.
7. ________ descansar, pareces cansado.
8. ________ ir andando, está muy cerca.

Aciertos: .... **de 7**

2. Relacione.

1. ¿A quién quiere
2. ¿Para qué queréis
3. ¿Por qué quieres
4. ¿Qué quieren
5. ¿Dónde quieren
6. ¿Qué quieres

a. venir con nosotros?
b. hacer esta tarde?
c. sentarse los señores?
d. cambiarte de piso otra vez?
e. ver usted?
f. tomar ustedes?

Aciertos: .... **de 5**

3. Complete con los verbos del recuadro en subjuntivo.

elegir	ir	ayudar	ser	gastar
acabar	prestar	saber	ganar	

1. *No les digas nada de la fiesta a tus amigos. Quiero que sea una sorpresa.*
2. Pablo está otra vez sin coche. Necesita que tú le ________ el tuyo.
3. • Mañana juegan el Real Madrid y el Deportivo de La Coruña.
   • ¿Sí? Yo prefiero que ________ el Deportivo.
4. Apaga la luz, mi madre no quiere que ________ tanto.
5. • ¿A qué restaurante vamos?
   • No sé, prefiero que ________ tú.
6. • ¿Cómo va la reforma de vuestra cocina?
   • Esperamos que los albañiles ________ antes de final de mes.
7. ¿Vas a dejar el trabajo? Espero que ________ bien lo que haces.
8. Él no puede hacerlo todo solo. Necesita que alguien le ________ .
9. • ¿Qué han dicho tus tíos?
   • Que quieren que nosotros ________ a su casa para Navidad.

Aciertos: .... **de 8**

4. Complete con infinitivo o subjuntivo. No olvide poner *que* delante.

1. *¿Quieres* ***casarte*** *conmigo? (casarse)*
2. Yo prefiero ________________ en el departamento comercial. *(trabajar)*
3. Invitamos a Lola a la boda, pero ella no quiso ____________. *(venir)*
4. Espero ________________ antes de las 12. *(volver, tú)*
5. Deseo ________________ muy felices. *(ser, vosotros)*
6. Adiós, esperamos ______________ pronto otra vez. *(ver, a vosotros)*
7. ¿Necesitas ____________ con el niño, y tú haces la compra? *(quedarme, yo)*
8. Necesito ________________ un favor, ¿puedes traerme el pan? *(hacer, tú a mí)*
9. ¿Dónde queréis ____________ de vacaciones? *(ir, nosotros)*
10. ¿Dónde está la secretaria?, necesito ________________ con ella. *(hablar)*
11. Preferimos ________________ en un colegio público. *(estudiar, nuestros hijos)*
12. Espero ________________ a mi fiesta de cumpleaños. *(venir, tú)*
13. Deseo ________________ para mi hija mayor. *(ser, mis cuadros)*
14. Necesito ________________ la verdad sobre mi enfermedad. *(decir, ellos a mí)*
15. Mañana quiero ________________ aquí sin falta. *(ver, a ti)*
16. Su padre no quiere ______________ es muy joven. *(independizarse, él)*
17. Si él espera ____________ le ____________ perdón, está equivocado. *(pedir, yo a él)*
18. No quiero ________________ salir de aquí a estas horas. *(ver, ellos a mí)*
19. No haré eso, no quiero ________________ en la cárcel. *(acabar)*
20. No vayas andando, prefiero ________________ un taxi. *(pedir, tú)*

Aciertos: .... de 20

5. Ofrezca ayuda, como en el modelo.

1. *Usted / yo / ayudar / a usted*	*¿Quiere que le ayude?*
2. Vosotros / yo / quedarse / con los niños	________________
3. Tú / yo / llevar al aeropuerto / a ti	________________
4. Tú / yo / traer el periódico / a ti	________________
5. Tú / yo / ir al médico contigo	________________
6. Vosotros / yo / llamar a vuestra familia	________________
7. Vosotros / nosotros / esperar en la cafetería	________________
8. Vosotros / yo / hacer la compra	________________
9. Tú / yo / hablar con ella	________________
10. Usted / yo / venir el sábado a trabajar	________________

Aciertos: .... de 9

6. Escriba varias frases utilizando lo que ha aprendido.

1. Espero que________________________
2. No queremos________________________
3. Necesitan________________________
4. Preferimos________________________

TEMA 25 TOTAL aciertos: .... de 49

Tema 26

EL ESTILO INDIRECTO (II)

Verbos de mandato, petición + *que* + subjuntivo		
Estilo directo	Verbo introductor	Estilo indirecto
Imperativo	Presente / pret. perfecto compuesto	Presente de subj.
Imperativo	Pret. perf. comp. / pret. imperf. / perf. simple / pret. plusc.	Pret. imperfecto subj.

• Verbos regulares

El pretérito imperfecto de subjuntivo

cantar	*comer*	*vivir*
cant**ara**	com**iera**	viv**iera**
cant**aras**	com**ieras**	viv**ieras**
cant**ara**	com**iera**	viv**iera**
cant**áramos**	com**iéramos**	viv**iéramos**
cant**arais**	com**ierais**	viv**ierais**
cant**aran**	com**ieran**	viv**ieran**

• **Verbos irregulares**
El pretérito imperfecto de subjuntivo tiene las mismas irregularidades que el pretérito perfecto simple (indefinido):

	Pretérito perfecto simple	Pretérito imperfecto de subjuntivo
decir	dijer**on**	**dijera, dijeras...**
estar	estuvier**on**	**estuviera, estuvieras...**
ir, ser	fuer**on**	**fuera, fueras...**
poder	pudier**on**	**pudiera, pudieras...**
poner	pusier**on**	**pusiera, pusieras...**
tener	tuvier**on**	**tuviera, tuvieras, ...**
venir	vinier**on**	**viniera, vinieras, ...**

Uso

En el estilo indirecto la persona que habla trasnmite el mensaje de otra persona con algunos cambios.

1

Estilo directo	Estilo indirecto
Él dice / ha dicho: *«Haz los deberes».*	Él dice / ha dicho que *... hagas los deberes.*
Él ha dicho / decía / dijo / *había dicho:* *«Haz los deberes».*	Él ha dicho / decía / dijo / *había dicho que* *... hicieras los deberes.*

2 Cuando la persona que habla transmite una orden, una petición, etc. ***(me ha pedido, me ha ordenado,*** etc.), las oraciones subordinadas van con el verbo en subjuntivo:

- *Mi jefe* ***me ha pedido que me quede*** *una hora más para terminar el trabajo.*
- *El ministro* ***pidió*** *a la nación* ***que hiciera*** *un esfuerzo más.*

1. **Siga el modelo.**

1. *«Llámame por teléfono».*
   Él me ha pedido que le llame por teléfono.
2. «Ven a verme».
   Él ha dicho que ____________________
3. «No vengáis antes de las seis».
   Ella ha dicho que ____________________
4. «Cómprame el periódico, por favor».
   Él me ha pedido que ____________________
5. «No vuelvas tarde».
   Mi madre siempre dice que ____________________
6. «Cerrad la puerta con llave».
   Él nos manda que ____________________
7. «Ponte los otros pantalones».
   Él me ha dicho que ____________________
8. «No le digas nada a Olga».
   Ella me ha mandado que ____________________
9. «Escuchadme».
   La profesora nos pide que ____________________
10. «Pasen por aquí».
    El policía ha ordenado que ____________________

Aciertos: .... de 9

2. **Complete lo que dice la madre.**

1. *«Mamá, Óscar no está estudiando la lección».*
   Madre: «Dile a Óscar que la estudie».
2. «Mamá, Daniel no pone la mesa».
   Madre: «Dile a Daniel que ____________________».
3. «Mamá, papá no me ayuda».
   Madre: ____________________
4. «Mamá, María no me da el lápiz».
   Madre: ____________________
5. «Mamá, Beatriz se va ya a su casa».
   Madre: ____________________
6. «Mamá, Paco se está comiendo todos los caramelos».
   Madre: ____________________

Aciertos: .... de 5

3. **Complete según el modelo.**

1. Escribir	(yo)	*escribiera*	(nosotros)	*escribiéramos*
2. Llamar	(tú)	________	(ustedes)	________
3. Salir	(él)	________	(vosotros)	________

4. Recoger	(usted)	....	(nosotros)	....
5. Abrir	(tú)	....	(ellos)	....
6. Beber	(ella)	....	(ustedes)	....
7. Saludar	(usted)	....	(ellos)	....
8. Acostarse	(yo)	....	(nosotros)	....
9. Encontrar	(ella)	....	(vosotros)	....
10. Buscar	(él)	....	(ellos)	....

Aciertos: .... de 9

4. Ahora complete esta lista de verbos irregulares.

1. Ser	(yo)	*fuera*	(nosotros)	*fuéramos*
2. Traer	(tú)	....	(vosotros)	....
3. Venir	(él)	....	(ustedes)	....
4. Leer	(ella)	....	(nosotras)	....
5. Pedir	(usted)	....	(ellos)	....
6. Dormir	(ella)	....	(ustedes)	....
7. Ir	(tú)	....	(vosotras)	....
8. Volver	(él)	....	(ellas)	....
9. Decir	(yo)	....	(nosotros)	....
10. Ver	(usted)	....	(vosotros)	....
11. Dar	(él)	....	(ustedes)	....
12. Poner	(ella)	....	(ellos)	....
13. Hacer	(yo)	....	(ellas)	....
14. Poder	(usted)	....	(nosotras)	....
15. Saber	(yo)	....	(vosotras)	....
16. Tener	(ella)	....	(ellos)	....

Aciertos: .... de 15

5. Repita el ejercicio 1, cambiando el tiempo del verbo *decir*.

1. *Él me dijo que le llamara por teléfono.*
2. ....
3. ....
4. ....
5. ....
6. ....
7. ....
8. ....
9. ....
10. ....

Aciertos: .... de 9

6. Transforme en estilo indirecto.

1. *«No me esperes a comer, tengo mucho trabajo en la oficina».*
   Aurelio me dijo que no le esperara, que tenía mucho trabajo en la oficina.
2. «Ven a recogerme a casa, tengo el coche en el taller».
   Ana me pidió que ______________________________
3. «Estoy preocupada, quiero hablar contigo, espérame a la salida de la clase».
   Julia me contó que ______________________________
4. «Vuelva usted mañana, el coche ya estará arreglado».
   Usted me dijo ayer que ______________________________
5. «Haced los ejercicios de la lección».
   Yo os dije que ______________________________
6. «Apaga la tele, me duele la cabeza».
   Mi madre me mandó que ______________________________
7. «No te preocupes, yo haré la cena».
   Mi mujer me dijo que ______________________________
8. «Hazme un bocadillo, tengo hambre».
   Jorge me pidió que ______________________________
9. «No puedo ir a buscaros porque tengo una reunión importante».
   Él nos dijo que ______________________________
10. «¿Quieres comer?, he hecho paella».
    Ella me preguntó ______________________________
11. «Déjame 30 euros, te los devolveré mañana».
    Francisco me pidió ______________________________
12. «Si no llego a tiempo, no me esperéis».
    Él dijo que ______________________________
13. «Cuando llegues a París, escríbenos un WhatsApp, por favor».
    Mis padres me pidieron que ______________________________
14. «No salgáis de casa, hace demasiado frío».
    Mamá dijo que ______________________________

Aciertos: .... **de 13**

7. Complete con *pedir / preguntar* según convenga, en el tiempo adecuado.

1. *Elena me pidió que le comprara una nueva edición del Quijote.*
2. Ellos nos ____________ cómo nos había ido el viaje y si habíamos comido.
3. Como no entendía nada, le ____________ a la profesora que hablara más despacio.
4. Antes de enviar el CV, me ____________ si podía corregirlo.
5. Mi padre me ____________ dónde voy a ir de vacaciones.
6. La dueña del piso nos ____________ que dejáramos todo como lo habíamos encontrado.
7. El director me ____________ cuánto tiempo llevaba estudiando Filosofía.
8. Santiago me ____________ si estaba contento con este trabajo.
9. Manolo me ____________ que revise yo los exámenes.
10. Los niños ____________ si vamos a ir al circo.

Aciertos: .... de 9

8. Susana fue a la consulta médica y la médica le dio varios consejos.

Al día siguiente, una compañera de trabajo le pregunta qué le dijo la médica. ¿Puedes completarlo?

____

____

____

Aciertos: .... de 4

TEMA 26 TOTAL aciertos: .... de 73

Tema 27

VALORAR CON SUBJUNTIVO

Las expresiones que sirven para valorar		
Es + sustantivo (*una pena* / *lástima* / *vergüenza*) *Es* + adjetivo (*raro* / *triste* / *horrible*) ¡*Qué* + sustantivo o adjetivo (*qué pena* / *qué raro*)	+ *que* +	presente de subjuntivo perfecto de subjuntivo

El pretérito perfecto de subjuntivo

Se forma con el presente de subjuntivo del verbo *haber* + el participio pasado

Presente de subjuntivo de *haber*	+ Participio pasado
haya	cantado / bebido / salido
hayas	
haya	
hayamos	
hayáis	
hayan	

Uso

El pretérito perfecto de subjuntivo expresa acciones pasadas y acabadas.

1 Se utiliza siempre que se requiera el modo subjuntivo:

- ***Cuando hayas estudiado*** *todos los verbos, te los preguntaré.*
- *En Valencia ha llovido mucho. ¡Ojalá* ***no se haya desbordado*** *el río!*

2 Las oraciones que sirven para expresar opiniones y sentimientos, o para valorar, como *es una pena / es estupendo / qué alegría*, etc., van con subjuntivo. Si expresan una acción pasada anterior a otra también pasada, van en pretérito perfecto de subjuntivo:

- ***Es una pena que no hayáis venido*** *al concierto. Ha sido estupendo.*
- ***No es raro que no haya habido*** *ninguna llamada. El teléfono no funciona.*
- ***¡Qué triste que no haya podido venir*** *a la boda!*

Ejercicios

1. Complete las frases en pretérito perfecto de subjuntivo.

1. *La profesora nos dirá el resultado cuando* **haya corregido** *los exámenes. (corregir)*
2. No creo que Pedro ________________ ese error al enviar el correo. *(cometer)*
3. ¿Qué hora es? Puede que el súper ________________ ya. *(abrir)*
4. Me cambio de piso el lunes, antes de que me ________________ los muebles. *(traer, ellos)*
5. Avísame cuando ________________ los platos en la mesa. *(poner, tú)*
6. No me gusta que no me ________________ qué ha pasado. *(decir, vosotros)*
7. Queremos ver esa película, aunque ya la ________________ *(ver , nosotros)*
8. Te explicaré todo cuando ________________ de vuestro viaje. *(volver, vosotros)*
9. Déjame el informe en la mesa cuando ________________. *(hacer, tú)*
10. Cuando ________________ el vestido, verás qué guapa estás. *(ponerte, tú)*

Aciertos: .... de 9

2. Reaccione, como en el modelo, con *qué pena* o *qué raro*.

1. *Él siempre viene a buscarme al aeropuerto, pero hoy no ha venido.*
   ¡Qué raro que no haya venido a buscarme!
2. *Ella se ha quedado sin trabajo.*
   ¡Qué pena que se haya quedado sin trabajo!
3. Ellos salen todos los fines de semana y este no han salido.
   ____
4. Ellos se llevaban bien, pero se han divorciado.
   ____
5. Los vecinos eran muy simpáticos, pero se han mudado de piso.
   ____
6. Las vacaciones ya han terminado. Volvemos a casa.
   ____
7. El empleado del banco se ha marchado sin decir nada.
   ____
8. Alejandro ha suspendido Matemáticas esta evaluación.
   ____
9. Los precios de los productos lácteos han bajado.
   ____
10. Compramos los muebles hace un mes y aún no los han traído.
   ____

Aciertos: .... de 8

3. Complete con el verbo en presente o en pretérito perfecto de subjuntivo.

1. *Es una pena que Ignacio no venga a la excursión este domingo.*
2. *Es curioso que Isabel no haya venido a clase.*
3. ¡Qué raro que no ______ el partido, son ya las ocho! *(empezar)*
4. Es estupendo que tu hijo ______ ir a la universidad. *(querer)*
5. Es raro que vosotros no ______ a Alicia, vive al lado. *(conocer)*
6. Es una lástima que ella no ______ nada de su hermana. *(saber)*
7. Es triste que ellos no ______ de esa noticia. *(enterarse)*
8. Es una maravilla que los jóvenes ______ en el extranjero. *(estudiar)*
9. Es raro que él no ______ todavía, es muy puntual. *(llegar)*
10. ¡Qué raro que no ______ a los niños!, ¿dónde estarán? *(oír, nosotros)*
11. ¡Qué pena que no ______ mi colección de insectos! *(ver, vosotros)*
12. ¡Es raro que él no ______ deporte! Es muy inquieto. *(hacer)*
13. ¡Qué alegría que tú ______ tiempo libre para visitarme! *(tener)*
14. ¿Tenéis prisa? ¡Qué pena que ______ tan pronto! *(irse, vosotros)*
15. Es una vergüenza que lo ______. Era muy trabajador. *(despedir)*
16. ¡Qué raro que mi madre no ______ al teléfono! Debería estar en casa. *(contestar)*
17. Es una alegría que mis padres ______ tan pronto. (llegado)
18. No es extraño que no ______ a estas horas está durmiendo. (contestar)

Aciertos: .... **de 16**

4. Complete las siguientes frases.

1. Es extraño que ______
2. No es raro que ______
3. ¡Qué pena que ______
4. Es estupendo que ______
5. ¿No es horrible que ______
6. ¡Qué alegría que ______
7. Es una tristeza que ______
8. ¡Qué vergüenza que ______

TEMA 27 TOTAL aciertos: .... **de 33**

Tema 28

ME GUSTARÍA + INFINITIVO/SUBJUNTIVO

Expresar deseos de difícil realización	
Me / Te / Le... gustaría	+ infinitivo + *que* + pretérito imperfecto de subjuntivo

Pretérito imperfecto de subjuntivo

Verbos en **-ar** (cant**ar**)			Verbos en **-er**, **-ir** (beb**er**, viv**ir**)		
cant**ara**	o	cant**ase**	raíz + **-iera**	o	raíz + **-iese**
cant**aras**	o	cant**ases**	raíz + **-ieras**	o	raíz + **-ieses**
cant**ara**	o	cant**ase**	raíz + **-iera**	o	raíz + **-iese**
cant**áramos**	o	cant**ásemos**	raíz + **-iéramos**	o	raíz + **-iésemos**
cant**arais**	o	cant**aseis**	raíz + **-ierais**	o	raíz + **-ieseis**
cant**aran**	o	cant**asen**	raíz + **-ieran**	o	raíz + **-iesen**

USO

1. Las oraciones subordinadas con verbos de sentimiento pueden llevar el verbo en infinitivo o subjuntivo. (Vea tema 23).

2. Cuando el verbo principal va en condicional, el verbo subordinado puede ir en infinitivo o en pretérito imperfecto de subjuntivo:

   1. Infinitivo. Cuando el sujeto de los dos verbos es el mismo:

      - *A ellos* ***les gustaría salir*** *más los domingos.*
      - ***Me gustaría llegar*** *pronto a casa.*

   2. Subjuntivo. Cuando el sujeto de los dos verbos es diferente:

      - *A ellos* ***les gustaría que su hijo fuera*** *médico o abogado.*
      - ***Me gustaría que mis nietos llegasen*** *pronto a casa.*

Ejercicios

1. Lea las frases y localice las cuatro incorrectas. Corríjalas.

1. *A ella le gustaría no estuviera tan delgada. Incorrecta.*
   A ella le gustaría no **estar** *tan delgada.*
2. ¿A ti te gustaría fueras médico?

   ____
3. Nos gustaría vivir en el Caribe.

   ____
4. A él le gustaría que le ascender en la empresa.

   ____
5. A nosotros nos gustaría compráramos un chalé en la sierra.

   ____
6. ¿A usted le gustaría que le robaran la cartera?

   ____
7. A ellos les gustaría que les tocara un viaje a África.

   ____

Aciertos: .... **de 6**

2. Complete con infinitivo con imperfecto de subjuntivo. Recuerde cuándo debe añadir *que*.

1. *Me gustaría* **que tuvieras** *más paciencia con los vecinos. (tener, tú)*
2. ¿Os gustaría ______________ la excursión? *(repetir, vosotros)*
3. A él le gustaría ______________ de trabajo, pero es muy difícil. *(cambiar, él)*
4. A ella le gustaría ______________ tanto con el coche. *(no correr, él)*
5. Nos gustaría que ______________ a los animales. *(respetar, ellos)*
6. ¿Te gustaría ______________ al cine mañana? *(ir, tú)*
7. ¿Te gustaría ______________ al cine mañana? *(ir, nosotros)*
8. Nos gustaría mucho ______________ más cerca. *(vivir, vosotros)*
9. Me gustaría que las calles de Madrid ______________ más limpias. *(estar)*
10. No me gustaría nada ______________ a llover ahora. *(ponerse)*
11. A ella le gustaría ______________ los problemas que hay en los hospitales que no ______________ listas de espera. *(arreglarse, no haber)*
12. ¿A ti te gustaría ______________ un yate? *(tener, tú)*
13. Nos gustaría ______________ temprano y salir pronto. *(desayunar, nosotros)*
14. Me gustaría ______________ menos la televisión. *(ver, vosotros)*
15. Nos gustaría ______________ música. *(aprender, nuestros hijos)*

Aciertos: .... **de 15**

3. Exprese un deseo en cada situación.

1. *Eres una mujer trabajadora, con hijos, y tu marido llega muy tarde del trabajo.*
   Me gustaría que mi marido llegara antes a casa.
2. Siempre tienes mucho trabajo. Te encanta jugar al golf, pero no tienes tiempo.
   ....
3. Sois una pareja con niños, queréis ir de vacaciones a Canarias, pero el avión es muy caro.
   ....
4. Pronto será Navidad, y necesitas cambiar de ordenador. Tus padres pueden regalártelo.
   ....
5. Eres atleta. Dentro de dos años se celebrarán las Olimpiadas.
   ....
6. Parece que va a llover. Habéis planeado una salida a la playa para mañana.
   ....
7. Vosotros queréis que unos amigos vengan de vacaciones a vuestra casa.
   ....
8. Vives en una ciudad y no te gusta. Te gusta mucho el campo.
   ....

Aciertos: .... de 7

4. Exprese deseos personales con *me gustaría* y *me gustaría que*. Pueden ser posibles o imposibles.

1. *Me gustaría aprender a pilotar un avión.*
   Me gustaría que vinieras a mi casa el domingo.
2. ....
   ....
3. ....
   ....
4. ....
   ....
5. ....
   ....
6. ....
   ....

TEMA28 TOTAL aciertos: .... de 28

Tema 29

LAS ORACIONES CONDICIONALES

Las oraciones condicionales con ***si***	
Oración subordinada	Oración principal
Si + presente de indicativo	presente de indicativo / futuro / imperativo
Si + imperfecto de subjuntivo	condicional

Uso

1 **Las oraciones condicionales son oraciones subordinadas que expresan una condición. Estas oraciones necesitan un nexo de unión: *si*.**

- *Abriré la ventana **si** tienes calor.*
- ***Si** me lo pidiera, iría a buscarla.*

2 **Las oraciones condicionales con *si* pueden ser:**

1. Posibles. Suelen construirse con el presente en la oración subordinada (introducida por *si*) y el futuro, presente o imperativo en la oración principal.
   - ***Si ella viene**, le **diré** la verdad.*
   - ***Si podemos, vamos** a casa de tu hermano.*
   - ***Si ves a Cristina, dale** recuerdos de mi parte.*
2. Irreales o poco probables. Se construyen con el imperfecto de subjuntivo en la subordinada (introducida por *si*) y el condicional en la principal:
   - ***Si tuviera** tiempo, **haría** algún deporte.*
   - ***Si vinieras** pronto, **iríamos** a montar en bici.*
   - ***Podríamos** ir a la playa ahora si **viviéramos** cerca del mar.*

1. Complete con la forma correcta.

	Imperfecto de subjuntivo	Condicional
1. Tener	*tuviera*	*tendría*
2. Ser	....	....
3. Poder	....	....
4. Venir	....	....
5. Ir	....	....
6. Salir	....	....
7. Decir	....	....
8. Estudiar	....	....
9. Beber	....	....
10. Hacer	....	....
11. Poner	....	....
12. Escribir	....	....
13. Dormir	....	....
14. Pedir	....	....

Aciertos: .... de 26

2. Relacione.

Si

1. Manuel tuviera vacaciones
2. estudiaras más
3. encontrara otro trabajo
4. te levantaras antes
5. mi madre viviera cerca
6. durmieras suficiente
7. no hiciera tanto frío

a. ahora no tendrías sueño.
b. no llegarías tarde siempre.
c. aprobarías.
d. haríamos un viajecito.
e. le dejaría al niño.
f. dejaría este.
g. saldría a dar un paseo.

Aciertos: .... de 6

3. Subraye el verbo que corresponda.

1. Si yo fuera / sea ministro de Educación, prohibiría la violencia en la tele.
2. Si los niños *serían / fueran* mayores, podríamos dejarlos solos.
3. Si mi madre *estuviera / estará* mejor de salud, me ayudaría en casa.
4. Yo *iría / iré* más a tu casa si vivieras más cerca.
5. Si *hiciera / hará* buen tiempo, iríamos a pescar este fin de semana.
6. ¿*Bailarías / Bailarás* con Antonio si él te lo pidiera?
7. Si *tuviéramos / tendríamos* vacaciones en invierno, iríamos a esquiar.
8. *Trabajaría / Trabajara* más contento si tuviera mejor horario.

Aciertos: .... de 7

4. Siga el modelo.

1. *hacer ejercicio / estar en forma. (tú)*
   Si hicieras ejercicio, estarías en forma.
2. no llover / salir a dar una vuelta. *(yo)*
   ____
3. saber informática / encontrar un trabajo. *(tú)*
   ____
4. tener más dinero / poder cambiar de piso. *(vosotros)*
   ____
5. querer / poner su propia empresa. *(ellos)*
   ____
6. tener tiempo / aprender a tocar algún instrumento. *(yo)*
   ____
7. tener dinero / invitarte a cenar en un restaurante. *(yo)*
   ____
8. ¿tocar la lotería / dejar de trabajar? *(tú)*
   ____
9. poder / irse a una isla. *(yo)*
   ____

Aciertos: .... de 8

5. Ponga el verbo en el tiempo adecuado.

1. *Si* te levantaras *más temprano, no llegarías tarde al trabajo. (levantarse)*
2. Si ______________ mal, ve al médico. *(encontrarse)*
3. ______________ este sillón si fuera más pequeño. *(comprar, nosotros)*
4. Si ______________ tiempo, iré a verte. *(tener)*
5. Si ______________, no saldremos a la calle. *(nevar)*
6. Si ______________ por el quiosco, compra el periódico. *(pasar)*
7. Si ______________ a Víctor, dile que me llame. *(ver)*
8. Si me ______________, llámame. *(necesitar)*
9. ______________ acabar la carrera, si quisieras estudiar. *(Poder)*
10. Si ______________ hambre, hazte un bocadillo. *(tener)*
11. Si no ______________ tanto, tendrías tiempo para tu familia. *(trabajar)*
12. Si mi jefe supiera que llego tarde, me ______________ *(despedir)*
13. Si no corrieras tanto, no te ______________ tantas multas. *(poner)*
14. Si no ______________ la aspiradora, devuélvesela a Ana. *(necesitar)*
15. Si no ______________ películas de terror, no tendrían pesadillas. *(ver)*

Aciertos: .... de 14

6. Escriba frases condicionales posibles (P) o irreales (I) con esta información.

1. *(Tú) Hacer ejercicio cada día / estar en forma (P)*
   Si hicieras ejercicio cada día, estarías en forma.
2. *(Yo)* Comprar entradas para el teatro / *(tú)* venir conmigo *(I)*
   ....
3. *(Yo)* Comprar otro móvil / no poder reparar este. *(P)*
   ....
4. *(Vosotros)* Estar contentos con vuestra casa / no pensar en cambiar *(I)*
   ....
5. *(Tú)* Doler la espalda / no sentarte bien delante del ordenador *(P)*
   ....
6. *(Él)* No tener cuidado / no tener una mascota *(P)*
   ....
7. *(Usted)* No llamar al fontanero / el grifo seguir perdiendo agua. *(I)*
   ....
8. *(Vosotras)* No pasar de curso / estudiar durante el verano. *(I)*
   ....
9. *(Ustedes)* Tener una pregunta / levantar la mano *(P)*
   ....
10. *(Nosotros)* Decir la verdad / *(Ellos)* no enfadarse con nosotros. *(I)*
   ....

Aciertos: .... de 9

7. Complete las frases.

1. Si yo viviera en Andalucía, ...
2. Si no me doliera tanto la cabeza, ...
3. Si él fuera más guapo, ...
4. Iría más a verte si tú ....
5. Si no estás a gusto en ese trabajo, ...
6. Yo saldría de noche si ....
7. Yo hablaría mejor el español si ....
8. Si tenemos suerte, ...
9. Si yo fuera Presidente del Gobierno, ...

Aciertos: .... de 9

TEMA 29 TOTAL aciertos: .... de 79

Tema 30

LAS ORACIONES CONCESIVAS

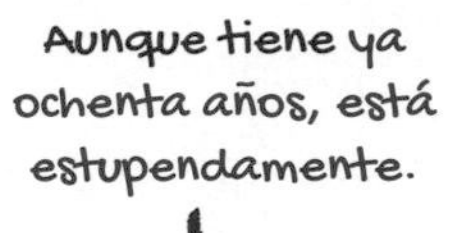

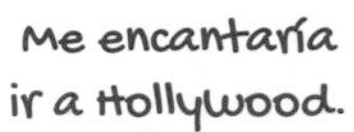

Las oraciones concesivas
Aunque + indicativo / subjuntivo

USO

1 **Las oraciones subordinadas concesivas introducidas por *aunque* pueden llevar el verbo en indicativo o subjuntivo:**

1. Indicativo. Se prefiere cuando:

- Hablamos del pasado:

- ***Aunque regaba*** *las plantas todos los días, se han secado.*
- *Ayer,* ***aunque no tenía*** *ganas, fui al cine.*

- Hablamos del presente o futuro. Especialmente si el hablante está muy seguro de la «concesión», o si esta indica una dificultad real:

- ***Aunque tiene*** *ya 92 años, mi abuelo* ***está*** *estupendamente.*
- ***Aunque no sabe*** *nada de pedagogía,* ***la han contratado*** *como profesora.*
- ***Aunque hace*** *mucho frío,* ***no quiere*** *ponerse el gorro.*
- ***Aunque estoy*** *muy cansada, esta tarde* ***iré*** *a la fiesta.*

2. Subjuntivo. Se prefiere cuando:

- Hablamos del futuro. Cuando no estamos seguros de la concesión, o cuando esta indica una dificultad potencial:

- *¿Vas a cambiar de empresa? Pero si la tuya es mejor.*
- *Bueno,* ***aunque sea*** *mejor, pienso cambiarme.*

- ***Aunque esté cansada****, saldré a cenar con los demás.*
- *Este verano,* ***aunque no tenga dinero****, iré a París.*
- ***Aunque te lo pida de rodillas****, no vayas a su boda.*

2 **Cuando la concesión es poco probable o imposible que se cumpla, usamos el pretérito imperfecto de subjuntivo en la oración subordinada, y el condicional en la oración principal. Compare las tres posibilidades:**

- ***Aunque me pagan poco****, trabajo ahí.*
- ***Aunque me paguen poco****, trabajaré ahí.*
- ***Aunque me pagaran poco****, trabajaría ahí.*

3 **En algunas ocasiones, es el hablante quien decide usar indicativo o subjuntivo:**

- *Yo,* ***aunque soy / sea*** *pobre, soy feliz.*
- ***Aunque haga / hace*** *mal tiempo, voy a salir a dar una vuelta.*

1. Complete las frases con los elementos del recuadro.

haga mucho frío	pagaran muy bien	yo quisiera
esté cansada	no terminemos esta noche	nunca he estado en Francia
solo tiene 3 años	nunca había visto a tu hermana	yo quiera

1. *Aunque nunca he estado en Francia, hablo francés bastante bien.*
2. Aunque ____________________, saldremos de casa.
3. Aunque ____________________, debemos intentarlo.
4. Aunque ____________________, habla ya perfectamente.
5. Aunque ____________________, iré a la excursión de mañana.
6. Aunque ____________________, no puedo obligarle a prepararse todo el temario para las oposiciones.
7. Aunque ____________________, no podría volver a mi país.
8. Aunque ____________________, yo nunca haría ese trabajo.
9. Aunque ____________________, la reconocí enseguida por la foto.

Aciertos: .... de 8

2. Escriba frases como en el modelo.

1. *yo / tener hambre / no cenar*
   Aunque tengo hambre, no voy a cenar.
   Aunque tenga hambre, no cenaré.
   Aunque tuviera hambre, no cenaría.
2. ellos / conocer Grecia / hacer un crucero por las islas griegas
   ____
   ____
   ____
3. nosotras / llover / salir a montar en bici
   ____
   ____
   ____
4. este coche / ser viejo / funcionar bien
   ____
   ____
   ____
5. él / comer mucho / no engordar
   ____
   ____
   ____
6. ella / trabajar en la sexta planta / no subir en ascensor
   ____
   ____
   ____

7. vosotros / tener buenas notas / no daros una beca Erasmus.

____

____

____

Aciertos: .... de 18

3. Complete las frases en el tiempo más adecuado. A veces hay varias posibilidades.

1. *Aunque hace / haga calor, no abras la ventana. (hacer)*
2. Aunque ella te lo ____________, no le compres helados a la niña. *(pedir)*
3. Aunque ____________ cinco años de Hostelería, no sabe cocinar. *(estudiar)*
4. Nunca aprobaré, aunque ______________ 10 horas diarias. *(estudiar)*
5. Aunque yo se lo ____________, no me hizo caso. *(advertir)*
6. Aunque le ____________, hay que decirle la verdad. *(doler)*
7. Aunque ____________ mucho el viaje, todo salió mal. *(preparar, nosotros)*
8. Aunque me ____________ la música, no sé tocar ningún instrumento. *(encanta)*
9. Aunque la calefacción ________________ muy alta, yo tengo frío. *(estar)*
10. Yo nunca dejaría mi trabajo, aunque me ____________ de lugar. *(cambiar)*
11. Aunque no le ____________ mucho, Marta aceptó el trabajo. *(pagar)*
12. Aunque ____________ un taxi, no llegaremos a tiempo. *(pedir, nosotros)*
13. Aunque yo ____________ las plantas, se me estropearon todas. *(regar)*
14. Es un médico muy amable, aunque ____________ muy ocupado, siempre te escucha atentamente. *(estar)*
15. No pienso contestarle, aunque me ____________ todos los días. *(llamar)*

Aciertos: .... de 14

4. Elija la opción adecuada.

1. *Aunque soy/sea mayor que mi hermano, él parece más joven.*
2. La semana que viene haré el informe, aunque *trabajo/trabaje* más.
3. Me compraría este libro de fotografía aunque *sea/fuera* carísimo.
4. Aunque *fuera/sea* aficionado al fútbol, nunca iría a un estadio.
5. Ella nada muy bien, aunque nunca *ha aprendido/aprende* natación.
6. Aunque no *tuviera/tiene* un apartamento propio, pasa las vacaciones en la playa.
7. Este año voy a ir a las fiestas, aunque mis padres me lo *prohíban/prohíben*.
8. Aunque me lo *dijo/dijera*, no le creí y decidí no hablar con él.
9. Lo haré por vosotros, aunque *fuera/sea* un poco arriesgado.
10. No lo creería, aunque Pepe me lo *juró/jurara*.

Aciertos: .... de 9

TEMA 30 TOTAL aciertos: .... de 49

Tema 31

LAS CONCORDANCIAS VERBALES

La concordancia de tiempos verbales indicativo-subjuntivo	
Verbo de la oración principal	Verbo de la oración subordinada
Presente de indicativo Perfecto compuesto de indicativo Futuro Imperativo	Presente de subjuntivo o Perfecto compuesto de subjuntivo
Imperfecto de indicativo Perfecto simple de indicativo Condicional Pluscuamperfecto de indicativo	Imperfecto de subjuntivo

Uso

1 En el caso de las oraciones subordinadas que llevan subjuntivo (las sustantivas que dependen de verbos como: *(no) querer / (no) creer, (no) esperar, (no) gustar, encantar, molestar*, etc.; finales con diferente sujeto que la principal; algunas concesivas con *aunque*, etc.), existe una correlación de tiempos fija entre el verbo de la oración principal y el de la subordinada:

- ***Quiero que vengas*** *a la reunión para informarte.*
  - ***He querido que vengas*** *a la reunión para informarte.*
    - ***Quise que vinieras*** *a la reunión para informarte.*

- ***Espero que llegue*** *a tiempo a la fiesta.*
  - ***Esperaba que llegara*** *a tiempo a la fiesta.*
    - ***Espero que haya llegado*** *a tiempo a la fiesta.*

- ***No creo que esté*** *enfermo tantos días.*
  - ***No creí que estuviera*** *enfermo tantos días.*
    - ***No creo que haya estado*** *enfermo tantos días.*

- ***Me molesta que no haya llamado*** *por teléfono.*
  - ***Me molestó que no llamara*** *por teléfono.*

- ***Me encanta que me escribas*** *poemas.*
  - ***Me encantaría que me escribieras*** *poemas.*
    - ***Me encantará que me escribas*** *poemas.*
      - *Siempre me* ***pedía que le escribiera*** *poemas.*

- ***Díselo para que lo sepa.***
  - ***Se lo diré para que lo sepa.***
    - ***Se lo he dicho para que lo sepa.***
      - ***Se lo dije para que lo supiera.***

- ***Lo está haciendo, aunque no le gusta.***
  - ***Lo hará, aunque no le gusta.***
    - ***Lo hará, aunque no le guste.***
      - ***Lo ha hecho, aunque no le haya gustado.***

2 No obstante, podemos encontrar otras correlaciones:

- ***No creo que él estuviera*** *en casa cuando sucedió todo.*
- ***Me sorprende que no te llamara*** *el domingo pasado.*

1. Reescriba las frases en pasado, como en el modelo.

1. *Me alegro de que te acuerdes de mí.*
   Me alegré de que te acordaras de mí.
2. No quiero que trabajes tanto.
   No quería ______________________
3. No creo que la policía sospeche de él.
   No creía ______________________
4. Espero que seas más optimista sobre lo que piensas.
   Esperaba ______________________
5. Me extraña que sus empleados salgan tan pronto.
   Me extrañó ______________________
6. Mis amigos quieren que vayamos a Tenerife esta Semana Santa.
   Mis amigos querían ______________________
7. Prefiero que él no venga conmigo.
   Preferí ______________________
8. Es lógico que los alquileres suban tanto como el coste de la vida.
   Era lógico ______________________
9. Espero que comprendas mi decisión.
   Esperaba ______________________
10. La policía no cree que el accidente sea por causa de la nieve.
    La policía no creyó ______________________
11. Solo quiere que le cambien la batería del coche.
    Solo quería ______________________

Aciertos: .... de 10

2. Subraye el verbo adecuado.

1. *No me gusta que andas / andes / andaras sin zapatos.*
2. Nadie cree que tú y yo *estamos / estemos / estaremos* casados.
3. Los padres no creían que el niño *necesita / necesite / necesitara* ayuda.
4. Dame eso, no quiero que *tienes / tengas / tuvieras* dolor de espalda.
5. Fue al médico para que le *receta / recete / recetara* algo para la tos.
6. Ya sé que *tienes / tengas / tuvieras* mucha presión, pero no creo que *es / sea / fuera* para tanto.
7. Ellos creían que el tren *llegará / llegaría / llegara* a su hora.
8. Muchos piensan que las cosas del hogar *son / sean / fueran* cosas de mujeres.
9. Yo, de pequeña, creía que la vida *era / fuera / será* fácil.
10. No os llamé para que no os *asustéis / asustarais / asustaréis*.
11. Me gustaría que no *saldrás / salgas / salieras* tanto de noche.
12. A ellos les molesta que no les *consultas / consultes / consultarás*.
13. ¿Necesitas que *traigo / traiga / trajera* algo más?
14. Me encanta que no se *fuma / fume / fumara* en lugares públicos.
15. ¿Estáis seguros de que *funciona / funcione / funcionara* con gasolina?
16. Esperaba que me *aviséis /avisareis / avisarais* antes de hacer algo.

17. Era necesario que todos se *pongan / pondrán / pusieran* de acuerdo.
18. A ella le extrañó que no le *dijiste / digas / dijeras* nada.
19. ¿Usted cree que esta ley educativa *es / sea / fuera* mejor que la otra?

Aciertos: .... de 19

3. Complete las frases en el tiempo y modo más adecuados (indicativo o subjuntivo).

1. *Yo ya suponía* ***que él estaría*** *enfadado. (estar, él)*
2. Nadie creía ____________________ tan lejos como ha llegado. *(llegar, Mateo)*
3. Supongo que ya ____________________ de las últimas noticias. *(enterarse, tú)*
4. Espera ____________________ a ser grandes artistas. *(llegar, sus hijos)*
5. Preferiría ____________________ de lo nuestro con nadie. *(no hablar, tú)*
6. Estábamos seguros de ____________________ *(ganar, nuestro equipo)*
7. Esperábamos ____________________ pronto. *(volver, nuestros amigos)*
8. Mi madre quería ____________________ en la Escuela Militar. *(ingresar, mi hermano)*
9. No estaba seguro de ____________________ a verme. *(venir, usted)*
10. No me parece necesario ____________________ a buscarla al colegio todos los días. *(ir, usted)*
11. No me gustaría ____________________ vuestro pasado. *(olvidar, vosotros)*
12. No era lógico que ____________________ que llevarla al hospital. *(tener, yo)*

Aciertos: .... de 11

4. Complete libremente las frases.

1. Yo no quería que tú ____
2. Esperaba ____
3. Me gusta que ____
4. No me gustaría que ____
5. Supongo que ____
6. Prefiero ____
7. No estoy seguro de ____

TEMA 31 TOTAL aciertos: .... de 40

Notas:

Notas: